gwres y GEGIN

I lawer sydd yn arlwyo – yn sicr
ceir siawns i gynilo,
ond tra hael y bwrdd bob tro
â Heulwen yn ei hulio.

T Arfon Williams

gwres y GEGIN

gan Heulwen Gruffydd

Cyflwyniad gan Hywel Gwynfryn

gyda lluniau gan Llŷr Gruffydd a Sion Jones

I Ianto, Cai, Daniel ac Elin – am helpu

Argraffiad cyntaf: 2011

Dymuna'r cyhoeddwyr gydnabod cymorth ariannol
Cyngor Llyfrau Cymru

Llun y clawr: Llŷr Gruffydd
Cynllun y clawr: Y Lolfa

Rhif Llyfr Rhyngwladol: 978 1 84771 398 8

FSC

Argraffwyd a chyhoeddwyd yng Nghymru gan
Y Lolfa Cyf., Talybont, Ceredigion SY24 5HE
gwefan www.ylolfa.com
e-bost ylolfa@ylolfa.com
ffôn 01970 832 304
ffacs 832 782

Cyflwyniad

Heulwen Gruffydd. Enw addas iawn i rywun ddaeth â gwên yr heulwen i mewn i stiwdio *Helo Bobol* yn wythnosol am dros ugain mlynedd. Yn ei chwmni hi bûm yn chwerthin gryn dipyn ac yn dysgu am fwyd a sut i'w goginio. Ond beth am y cyfarfyddiad hanesyddol cyntaf hwnnw? Wel! Fe enillodd Heulwen gystadleuaeth *Helo Bobol* am greu risêt ar gyfer pryd o fwyd i ddathlu rhyw achlysur arbennig, ac ar ôl ei gwahodd ar y rhaglen i dderbyn ei chlod (doedd 'na ddim gwobr – dim hyd yn oed panad o de a sgon!) cychwynnodd ei hymweliadau wythnosol â'r stiwdio ym Mangor. Cofiaf yn dda, ar ôl ei rhaglen gyntaf, i mi ofyn iddi faint, yn ei hamcan hi, o lythyrau a dderbyniwyd gan wrandawyr yn ymateb i'w chyfraniad. Pan ddywedais i ni gael 80 o lythyrau ei sylw diniwed hi oedd "Ydi hynny yn lot?" Oedd. Mi oedd o, Heulwen. Y llais oedd ei hatyniad i rai, y llais a newidiai'n rhwydd iawn yn chwerthiniad iach, ac yn wir, yn aml iawn yn ffit o chwerthin afreolus a finna'n ymuno.

Y drefn ar y rhaglen bob tro oedd, cyn mynd at y bwyd, ei holi am ei hwythnos. Yn aml iawn, straeon am droeon trwstan a gawn – fel stori'r bin. Wrth lanhau'r bin-ar-olwynion estynnodd Heulwen i lawr i'r bin i geisio cael gafael ar y darn papur olaf oedd wedi glynu yn ei waelod. I werthfawrogi'r stori hon rhaid cofio mai dim ond pum troedfedd o'i thraed i'w chorun ydi Heulwen, a hynny pan mae hi'n sefyll ar gadair! Erbyn iddi fynd i mewn i'r bin ar ei phen a chrafangu am y papur, dim ond ei thraed oedd yn y golwg! Bûm am rai munudau cyn medru ailddechrau

sgwrsio. Gyda llaw, rhag ofn i chi gael moment Heulwenaidd rywdro, cofiwch mai'r ffordd ora' (a'r ffordd galla', Heulwen) o lanhau bin-ar-olwynion ydi gosod y bin ar ei ochr. Syml!

Uchelgais pob darlledwr ydi cael ymateb gan y cyhoedd i'w raglen – gorau oll os yw'r ymateb yn ffafriol! Yn naturiol byddai llawer yn gyrru am eu copïau o risetiau Heulwen ond hefyd caem sylwadau ac awgrymiadau. Roedd hyn yn galondid i mi oherwydd eu bod yn creu dilyniant o un wythnos i'r llall – ac i Heulwen roedd o'n esgus i fynd adref i brofi'r awgrymiadau ac i riportio'n ôl! Un awgrym a gawsom oedd bod posib rhoi iogwrt yn lle llaeth enwyn mewn toes sgons. Yr wythnos ganlynol, roedd y sgons ar y bwrdd o'm blaen, a sgons iogwrt da iawn oeddan nhw hefyd.

Roedd tameidiau blasus o fwyd yn cyrraedd bron iawn bob yn ail wythnos ac roedd tîm y stiwdio yn edrych ymlaen yn awchus am yr ymweliadau, ac yn claddu'r gweddillion ar ddiwedd y rhaglen fel tasa nhw ddim wedi gweld bwyd am fis.

Ond nid bob tro y rhoddwn ganmoliaeth. Weithiau byddai'r heulwen yn cuddio tu ôl i gwmwl! Dwi'n cofio cael cynnig pwdin gan Madam Heulwen, a chan fod fy llygaid yn fwy na fy mol, fe lenwais fy mhlât. Wyddwn i ddim ei fod o'n cynnwys marsipán. Llowciais y llwyaid cyntaf yn awchus ac yna bu'n rhaid i mi egluro mor boléit â phosib mai fy nghas fwyd oedd marsipán!

Allan o'r holl firi, dôi gwirioneddau mawr hefyd. Anaml y gwelais Heulwen yn dioddef o unrhyw nerfau mewn darllediadau byw, ond cofiaf un tro lle baglodd dros ei geiriau yn Freudiaidd iawn. Ceisiodd ddweud bod bwydydd parod yr archfarchnad yn llawer drutach ac yn aml yn llai blasus na bwyd cartref. Ond nid "archfarchnad" a ddaeth o'i genau ond "madfarchnad"! Ac wrth gwrs, mae nhw'n llefydd gwallgo am chwech o'r gloch ar nos Wener!

Ni allaf argymell ei risetiau sy'n cynnwys marsipán ichi, na chwaith y fferins wedi eu gwneud o datws wedi eu stwnsio – pethau da y claddodd Dei Tomos a minnau gryn hanner dwsin ohonynt cyn cael clywed beth oedd ynddynt! Ond gallaf eich sicrhau bod y gweddill, fel Heulwen ei hun, yn OK, ac yn werth eu profi. Diolch am eich cyfraniad pwysig, Heulwen, i lwyddiant *Helo Bobol* yn nyddiau cynnar Radio Cymru – a diolch am yr hwyl hefyd.

Hywel Gwynfryn

Hywel Gwynfryn
Hydref 2011

DIOLCH

Ffrwyth sgyrsiau wythnosol dros lawer o flynyddoedd gyda Hywel Gwynfryn am goginio, a bwyd yn gyffredinol, ydi'r gyfrol hon. Cyhoeddodd y BBC ddetholiad o'r risetiau wythnosol ym 1993 (*Blas ar y Gwrando*) ond erys llawer iawn heb eu croniclo – ac yn wir, cyflwynwyd llawer mwy ar Radio Cymru ers hynny. Cefais fy symbylu i hel y casgliad hwn at ei gilydd oherwydd fy mod yn dal i dderbyn sylwadau a cheisiadau am risetiau yr oeddwn bron wedi anghofio amdanynt! Felly, cyn iddynt fynd yn angof llwyr, a chyda diolch i'r rheiny sydd wedi bod yn fy ngwthio i'w cyhoeddi, dyma fi'n eu cyflwyno rhwng dau glawr. Diolch hefyd i'r cyfeillion sydd wedi rhoi risetiau imi dros yr holl flynyddoedd – ac mae sawl un, neu ddatblygiad ohonynt, wedi eu cynnwys yma.

Yr wyf yn ddiolchgar iawn i Hywel Gwynfryn am ei gefnogaeth i'r fenter hon ac i'r BBC, a Hywel yn arbennig, am roi'r cyfle i mi greu casgliad eang o risetiau y medrais eu rhannu efo fo a chynulleidfa Radio Cymru. I Sion Jones a Llŷr, fy ngŵr, y mae'r diolch am y lluniau. Yr wyf yn ddiolchgar i'r Lolfa am eu gwaith diwyd yn tynnu'r cwbl at ei gilydd yn gyfrol ddeniadol.

Yr oeddwn wedi profi pob risêt, wrth gwrs, cyn ei rhannu â'r gwrandawyr – a hynny mewn tipyn o banic weithiau y noson cyn y darllediad! Gobeithiaf felly bod y broses, a chymorth y wasg, wedi gweithio ac na chewch drafferth gyda'r cyfarwyddiadau.

Hwyl ar yr hulio,

Heulwen Gruffydd
Hydref 2011

Cynnwys

Bara

"'Mi wnes i smonath wrth helpu y diwrnod o'r blaen."

Edrych nain arnaf a'i llygaid fel dau lafn o ddur glas.

"Be wnêst ti?"

"Golchi'r badell does efo chadach llestri ac mi aeth y toes i mewn i'r cadach i gyd a'i neud o fel tasa'i lond o o falwod."

"Mi 'r wyt ti'n gwbod erbyn hyn mai crafu padell does efo dy winedd sydd eisio."

"Ydw".'

Kate Roberts, *Y Lôn Wen*

GWNEUD BARA 🍃

'Does dim yn well gen i nag arogli bara'n pobi. Anaml iawn y prynaf fara siop, yn enwedig ers i mi ddechrau ychwanegu tabled asid ascorbig (fitamin C) at y toes a dyblu pwysau'r burum. Mae hyn yn arbed oriau o amser ac nid yw'n amharu dim ar flas nac ansawdd y dorth. Gellir prynu'r tabledi yma (25 neu 50mg) mewn unrhyw fferyllfa.

Peidiwch â bod ofn rhoi cynnig arni. I'ch helpu, dyma bwysleisio'r pethau pwysig i'w cofio os ydych am dorth ysgafn a blasus.

1   Gofalwch fod yr hylif, boed ddŵr neu lefrith, yn gynnes ac nid yn boeth cyn rhoi'r burum ynddo. Byddwch wedi lladd y burum os defnyddiwch hylif poeth a bydd yn hollol ddiwerth wedyn. Anelwch at dymheredd bys, dim mwy. Ni wna hylif oerach niwed i'r burum ond fe gymer yn hwy i weithio (gw. hefyd *Burum*, pennod *Briwsion*).

2   Tylinwch y toes yn dda. Mae hyn yn bwysig er mwyn cryfhau'r glwten sydd yn y blawd a sicrhau bod y toes yn codi a'r dorth yn ysgafn. Weithiau gwelir tyllau mawr mewn torth. Golyga hyn nad yw'r toes wedi ei dylino ddigon cyn ei osod yn y tun.

3   Defnyddiwch flawd cryf gan fod mwy o glwten ynddo.

4   Mae'n fanteisiol, os yn bosib, rhoi'r toes i godi mewn bag plastig go fawr a hwnnw wedi ei iro rhag i'r toes lynu ynddo. Mae ei roi mewn bag yn rhwystro'r wyneb rhag sychu ac yn help i'w gadw'n gynnes.

5   Mae gadael i'r toes orgodi yr un fath â gorchwythu balŵn – bostio wna'r ddau! Ond y fantais o ddefnyddio asid ascorbig yn y cyswllt hwn yw y gallwch aildylino toes sydd wedi gorgodi a'i osod yn ôl yn y tun bara ac ni fydd fymryn gwaeth.

6   Pan fyddwch yn gwneud bara brown, sylwch fod angen hyd at 2 owns hylifol (60ml) yn fwy o ddŵr i bob tri phwys (1.35cg) o flawd.

7   Pan ddaw'r bara o'r popty bydd rhoi lliain sychu llestri glân drosto tra bydd yn oeri yn cadw'r crystyn yn feddal. Hefyd, mae brwsio gwahanol hylifau dros y toes cyn ei bobi yn effeithio ar y crystyn. Os mai crystyn caled sydd at eich dant, brwsiwch olew dros wyneb y toes, neu lefrith i gael crystyn meddalach.

Gellir defnyddio burum sych, wrth gwrs, ac er bod llawer yn cael llwyddiant efo fo, mae'n well gen i furum ffres. Yma rwy'n cyflwyno risetiau gwneud bara yn ogystal ag enghreifftiau o wneud pethau melys a sawrus gyda thoes.

BARA GWYN ⬛

DIGON I TUA 2 DORTH BWYS (2 x 450g)

owns (28g) o furum ffres

14 owns hylifol (400ml) o ddŵr cynnes, neu gymysgedd o 12 owns hylifol (340ml) o ddŵr cynnes a 2 owns hylifol (55ml) o lefrith cynnes

tabled asid ascorbig (fitamin C) 25mg – neu hanner un 50mg

pwys a hanner (680g) o flawd gwyn plaen, cryf

llond llwy de wastad o siwgr mân

llond llwy fwrdd wastad o halen

hanner owns (15g) o lard neu fargarîn

Os nad oes gennych flawd cryf yn y tŷ yna defnyddiwch flawd plaen o safon uchel (er nad yw cystal) ac ychwanegwch 13 owns hylifol (370ml) o ddŵr cynnes.

Popty 230°C | Ffan 210°C | Nwy 8

1 Malwch y burum â'ch bysedd a'i gymysgu i mewn i'r dŵr cynnes mewn powlen neu jwg – dŵr cynnes ar dymheredd bys a dim poethach. Ychwanegwch y dabled fitamin C a'r siwgr a churwch y gymysgfa â fforc nes y bydd y dabled wedi toddi. Gadewch iddi sefyll am tua 10 munud mewn lle cynnes nes y bydd y burum wedi dechrau gweithio ac ewyn ar yr wyneb.

2 Gogrwch y blawd a'r halen i bowlen go fawr. Ychwanegwch y lard neu'r margarîn a'i rwbio i mewn i'r blawd â blaenau'ch bysedd.

3 Cymysgwch y burum a'r dŵr i'r gymysgfa flawd gyda fforc. Defnyddiwch eich dwylo i hel y toes at ei gilydd nes bod ochrau'r bowlen yn lân.

4 Sgeintiwch ychydig o flawd ar y bwrdd neu 'styllen a throwch y toes allan o'r bowlen a dechreuwch ei dylino. Tylinwch y toes am 10 munud, dim llai! Erbyn hyn dylai'r toes fod yn llyfn ac elastig. Rhowch y belen o does yn ôl yn y bowlen a'i rhoi mewn bag plastig mawr wedi ei iro.

5 Rhowch y bowlen mewn lle cynnes am 5 munud. Ni fydd y toes wedi codi llawer, os o gwbl, ond peidiwch â phoeni.

6 Trowch y toes allan ar y bwrdd blawdiog a'i dylino am 2 funud o leiaf, cyn ei rannu'n ddau ddarn.

7 Irwch ddau dun pwys.

8 Rholiwch y darnau toes â'ch llaw a'u tylino nes y bydd gennych siapiau torthau bychain. Dylai'r torthau fod yn berffaith llyfn. Os oes crac neu ddau yn y toes, yna cuddiwch y rhain oddi tanodd yn y tun!

9 Rhowch y toes yn y tuniau – dylai gyrraedd tua hanner ffordd i fyny'r tun – a'u gosod mewn bag plastig wedi ei iro ar y tu mewn. Rhaid iro'r bag rhag i'r dorth lynu yn y plastig wrth iddi godi.

10 Rhowch y torthau mewn cornel gynnes o'r gegin a gadewch iddynt godi i ben y tun – cymer hyn tua 20–30 munud.

11 Tynnwch y tuniau allan o'r bag yn ofalus a brwsiwch wyneb y torthau yn ysgafn â llefrith neu ŵy wedi ei guro (gw. hefyd cam 7, *Gwneud bara*, tud. 10).

12 Pobwch am 25–30 munud.

13 Tynnwch y bara o'r tuniau. Curwch waelod y dorth yn ysgafn â'ch bysedd. Dylai'r dorth swnio'n wag os yw wedi pobi digon. Os am grimpio crystyn ymylon a gwaelod y dorth yn fwy, rhowch yn ôl yn y popty, heb y tun, am 2 neu 3 munud. Rhowch i oeri ar rwyll oeri.

14 Gallwch gymysgu a thylino ym mhowlen peiriant trydan gan ddefnyddio'r bachyn toes, h.y., cyfuno camau 2, 3 a 4 yn un broses (5 munud), cam 6 (2 funud). Mae'n ddoeth codi cyflymdra'r peiriant yn raddol.

BARA BROWN

Defnyddiwch flawd brown cryf. Mae'r dull yr un fath â'r un ar gyfer bara gwyn ond bydd angen tuag un owns hylifol (30ml) yn rhagor o hylif cynnes. Felly, ar gyfer pwys a hanner (680g) o flawd brown bydd angen 15 owns hylifol (425ml).

TORTH BLETHEN

1 Paratowch does yn ôl y dull a roddir yn risêt *Bara meddal blasus* (tud. 14).

2 Rhannwch y toes yn ddau ran cyfartal ar gyfer dwy dorth a dilynwch y dull isod gyda'r ddau ddarn yn eu tro.

3 Cymerwch un darn a'i rannu'n dri a rholiwch bob un yn rholyn gweddol hir.

4 Gwasgwch ben y tri rholyn gyda'i gilydd a'u plethu. Gwasgwch ben arall y tri rholyn gyda'i gilydd ar ôl gorffen plethu.

5 Gosodwch y blethen ar dun pobi wedi ei iro a rhowch y tun mewn bag plastig wedi ei iro. Gadewch mewn lle cynnes yn y gegin nes y bydd y blethen wedi dyblu yn ei maint (20–30 munud).

6 Tynnwch y tun allan o'r bag a brwsiwch lefrith neu ŵy wedi ei guro yn ysgafn dros y blethen. Sgeintiwch ychydig o hadau pabi drosti os mynnwch.

7 Pobwch am 25–30 munud. Os yw wedi pobi digon, dylai swnio'n wag wrth ei chnocio'n ysgafn oddi tani. Rhowch ar rwyll oeri.

BARA MEDDAL
BLASUS 🖋️

Mae'r bara yma yn feddalach na'r bara gwyn arferol. Defnyddir y toes hwn gan amlaf i wneud byns, plethi, torth goron a rôls yn ogystal â thorth dun. Hefyd, hwn yw'r toes a ddefnyddiaf i wneud pitsa yn hytrach na'r toes arferol. Mae hwn yn haws i'w dorri na'r bara gwyn cyffredin.

pwys (450g) o flawd plaen cryf

llond llwy de wastad o halen

2 owns (55g) o fargarîn

8 owns hylifol (225ml) o lefrith cynnes

llond llwy de wastad o siwgr

owns (28g) o furum ffres

tabled asid ascorbig 25mg

un ŵy bychan wedi ei guro

Popty 220°C | Ffan 200°C | Nwy 7

1 Malwch y burum â'ch bysedd a'i roi yn y llefrith cynnes. Ychwanegwch y dabled asid ascorbig a'r siwgr. Curwch y gymysgfa â fforc nes y bydd y dabled wedi toddi. Gadewch mewn lle cynnes i gychwyn gweithio.

2 Gogrwch y blawd a'r halen i bowlen go fawr a rhwbiwch y margarîn i mewn iddo.

3 Ychwanegwch yr hylif burum a'r ŵy a chymysgwch y cyfan â fforc ac yna â'ch dwylo nes bo'r toes wedi dod at ei gilydd yn un belen, ac ochrau'r bowlen yn lân.

4 Sgeintiwch flawd ar y bwrdd neu 'styllen a throwch y toes allan o'r bowlen a thylinwch am 10 munud nes ei fod yn llyfn ac elastig. Rhowch y toes yn ôl yn y bowlen a'i roi mewn bag plastig wedi ei iro.

5 Gadewch mewn cornel gynnes o'r gegin am 10 munud. Ni fydd wedi codi llawer ond na phoenwch.

6 Tynnwch y toes o'r bag a'i dylino am 2 funud. Yna ffurfiwch eich torth, rôls, pitsa neu fyns yn ôl y risetiau sydd yn y bennod hon.

Gallwch gymysgu a thylino ym mhowlen peiriant trydan, gan ddefnyddio'r bachyn toes, h.y., cyfuno camau 2, 3 a 4 yn un broses (5 munud), cam 6 (2 funud). Mae'n ddoeth codi cyflymdra'r peiriant yn raddol.

TORTH Y BWTHYN BACH

1   Paratowch does yn ôl y dull a roddwyd yn risêt *Bara meddal blasus* (tud. 14).

2   Rhannwch y toes yn ddau ran cyfartal ar gyfer dwy dorth a dilynwch y dull isod gyda'r ddau ddarn yn eu tro.

3   Rhannwch y toes yn ddarnau tri chwarter a chwarter. Rholiwch a thylinwch y toes, un darn ar y tro, nes y bydd gennych ddwy dorth gron, un fawr ac un fach!

4   Gosodwch y dorth fwyaf ar dun pobi wedi ei iro a brwsio ychydig o lefrith, ŵy wedi ei guro neu ddŵr ar y darn canol o wyneb y dorth. Gosodwch y dorth leiaf ar ei phen, yn union ar ei chanol yn y darn a wlychwyd. Dylai'r ddwy lynu yn ei gilydd.

5   Rhowch goes llwy bren mewn blawd ac yna gwthiwch y goes i lawr drwy ganol y ddwy dorth i adael twll bach yng nghanol y dorth. Gosodwch y tun gyda'r dorth arno mewn bag plastig wedi ei iro. Gadewch mewn cornel gynnes o'r gegin nes y bydd wedi dyblu yn ei maint.

6   Tynnwch y tun allan o'r bag a brwsiwch wyneb y dorth yn ysgafn â llefrith neu ŵy wedi ei guro. Pobwch am 20–25 munud. Os yw wedi pobi digon dylai swnio'n wag wrth ei chnocio'n ysgafn oddi tani. Rhowch y dorth ar rwyll oeri.

TORTH GWLWM

1   Paratowch does yn ôl y dull a roddwyd yn risêt *Bara meddal blasus* (tud. 14).

2   Rhannwch y toes yn ddau ran cyfartal ar gyfer dwy dorth a dilynwch y dull isod gyda'r ddau ddarn yn eu tro.

3   Rholiwch y toes â'ch llaw nes y bydd gennych rolyn 10–12" (25–30cm) o hyd. Ffurfiwch y rholyn yn gwlwm taclus, llac.

4   Dilynwch gamau 5–7 yn risêt *Torth blethen* (tud. 13).

RÔLS

DIGON I WNEUD 24 RÔL

1   Paratowch does yn ôl y dull a roddwyd yn risêt *Bara meddal blasus* (tud. 14).

2   Rhannwch y toes yn 24 darn. Ffurfiwch eich darnau toes un ai'n blethi bach, yn glymau, yn rôls hir neu'n rôls crwn.

3   Gosodwch y rôls ar dun pobi wedi ei iro a rhowch y tun mewn bag plastig wedi ei iro. Gadewch mewn lle cynnes yn y gegin nes y bydd y rôls wedi dyblu yn eu maint.

4   Tynnwch y tun allan o'r bag a brwsiwch wyneb y rôls yn ysgafn â llefrith neu ŵy wedi ei guro. Sgeintiwch ychydig o hadau pabi drostynt os mynnwch. Pobwch am 10–15 munud a rhowch ar rwyll oeri.

PITSA 🅛🅛

Er mwyn bod yn daclus, ac i sicrhau y bydd pethau'n barod efo'i gilydd, paratowch y llenwad ymlaen llaw!

6 owns (170g) o does meddal blasus (tud. 14, ond fe wnaiff unrhyw fath o does bara y tro)

un nionyn canolig ei faint wedi ei dorri'n fân

hanner i un llond llwy de o berlysiau cymysg neu oregano sych

owns (28g) o fargarîn

tun tua 425g o domatos

pupur a halen

4–6 owns (115–170g) o gaws Cheddar wedi ei ratio

Popty 220°C | Ffan 200°C | Nwy 7
(230°C | Ffan 210°C | Nwy 8 i does gwyn cyffredin)

1. Irwch dun Swis-rôl neu dun crwn 8" (20cm) gweddol fas. Rholiwch y toes allan yn ddigon mawr i orchuddio gwaelod y tun. Dylai fod tua chwarter modfedd (8mm) o drwch.

2. I wneud y llenwad, toddwch y margarîn mewn sosban gymedrol ei maint ac ychwanegwch y nionyn. Gadewch iddo ffrio'n weddol araf am tua 5 munud.

3. Ychwanegwch holl gynnwys y tun tomatos a phupur a halen a mudferwch y cyfan am 15 munud, heb gaead ar y sosban. Dylai'r gymysgfa fod yn dew erbyn hyn. Gadewch iddi oeri ychydig.

4. Tywalltwch y gymysgfa domato dros y toes. Gwasgarwch y perlysiau cymysg, neu oregano, drosto ac yna gorchuddiwch y cyfan â'r caws.

5. Gadewch mewn lle cynnes am tua hanner awr, gyda gorchudd plastig wedi ei iro drosto, er mwyn iddo godi bron i dop y tun. Tynnwch y plastig i ffwrdd a phobwch y pitsa am 20–25 munud a bydd yn barod i'w fwyta.

6. Llenwad eithaf sylfaenol yw'r uchod a gellir ei amrywio trwy ychwanegu, ar ben y gymysgfa domato cyn pobi, bethau fel stribedi o gig moch brith (*streaky bacon*), ffrwythau, madarch, sardîns, salami, ansiofis (*anchovies*) ac yn y blaen. Defnyddiwch eich dychymyg!

BYNSEN OREN A SYLTANAS ⟨7LL⟩

hanner y toes yn risêt *Bara meddal blasus* (tud. 14)

hanner pwys (225g) o syltanas

chwarter pwys (115g) o siwgr eisin

un oren

Popty 220°C | Ffan 200°C | Nwy 7

1 Sgwriwch yr oren a gratiwch y croen oddi arni. Gwasgwch y sudd o'r oren a rhowch y syltanas a 2 lond llwy fwrdd (30ml) o'r sudd mewn powlen fach a gadewch iddo fwydo am 10 munud. Tynnwch y syltanas allan o'r sudd a'u rhoi ar blât dros dro.

2 Pwyswch y toes i lawr yn wastad a gwasgarwch y syltanas a hanner y croen oren drosto i gyd. Yna lapiwch y toes am y croen oren a'r syltanas. Tylinwch y cyfan yn dda nes bod y croen a'r syltanas wedi eu dosbarthu'n gyfartal drwy'r toes.

3 Rholiwch y toes â'ch dwylo i wneud rholyn hir tebyg i rolbren. Ffurfiwch y rholyn yn gylch gan ddod â'r ddau ben at ei gilydd a'u huno (bydd yn rhaid gwlychu'r pennau ychydig).

4 Rhowch y cylch ar dun pobi wedi ei iro a rhowch y tun mewn bag plastig wedi ei iro. Gadewch mewn cornel gynnes o'r gegin nes y bydd wedi codi a dyblu yn ei faint (tua 20–30 munud).

5 Pobwch am 20–25 munud a gadewch i'r fynsen oeri ar rwyll oeri.

6 Gogrwch y siwgr eisin i bowlen a'i gymysgu â digon o sudd oren i wneud cymysgfa weddol dew, fel hufen. Dylai tuag un llond llwy fwrdd o sudd oren (15ml) fod yn ddigon.

7 Defnyddiwch lwy i godi'r eisin a'i ddiferu'n batrwm igam-ogam dros wyneb y fynsen ac yna gwasgarwch weddill y croen oren dros yr eisin. Sleisiwch hi'n ddarnau gweddol dew a rhowch fenyn arnynt.

BYNS VIENNA ⬚

Er mai *Danish pastries* yw'r enw Saesneg arnynt, o Vienna y maent yn tarddu. Mae llawer math y medrwch eu gwneud ond dyma un enghraifft gyda dau fath o lenwad i ddewis ohonynt. Paratowch y llenwad ymlaen llaw.

chwarter y toes yn risêt *Bara meddal blasus* (tud. 14)

2 owns (55g) o fenyn

un melynwy

llond llwy de wastad o siwgr mân

llond llwy fwrdd (15ml) o ddŵr

Llenwad 1. Pâst almon (marsipán)

Gallwch brynu hwn yn barod a defnyddiwch faint sydd ei angen

Llenwad 2. Sbeis a chyrens

owns (28g) o gyrens

owns (28g) o gandi-pîl

owns (28g) o fargarîn

owns (28g) o siwgr mân

Rhowch y cyfan mewn powlen a'i gymysgu'n dda

Addurn

ceirios *glacé*

eisin *glacé*

cnau almon wedi eu tostio neu eu rhostio

Popty 220°C | Ffan 200°C | Nwy 7

1 Rholiwch y toes allan yn sgwâr 10" (25cm). Meddalwch y menyn ryw ychydig ond nid yn rhy feddal neu fe gewch drafferth wrth rolio'r toes. Taenwch y menyn dros ddarn hirsgwar 9 x 5" (23 x 13cm) ar hyd canol y sgwâr o does gan adael hanner modfedd (1.5cm) heb fenyn ar hyd y ddwy ochr a 2½" (6cm) yn rhydd o fenyn ym mhob pen.

2 Marciwch y toes yn dri darn cyfartal ac yna plygwch y rhan uchaf dros y darn canol a dod â'r rhan isaf wedyn dros hwnnw. Seliwch yr ymylon trwy eu pwyso â rholbren. Trowch trwy 90° nes bod un o'r ymylon byr (a seliwyd) yn wynebu tuag atoch. Rholiwch hwn wedyn yn ei hyd yn ddarn hirsgwar 15 x 5" (38 x 13cm).

3 Marciwch eto yn dri darn fel o'r blaen a phlygwch yn yr un modd. Rhowch y toes ar blât a'i roi mewn bag plastig i orffwys mewn lle oer am 10 munud o leiaf. Mae angen ei oeri fel hyn rhag i'r menyn doddi gormod wrth ei rolio allan dro ar ôl tro.

4 Plygwch, rholiwch a gorffwyswch y toes fel hyn ddwy waith eto.

5 Curwch y melynwy, y siwgr a'r dŵr gyda'i gilydd yn barod i'w ddefnyddio pan ddaw'r galw.

6 Rholiwch y toes allan yn ei hyd a thwtiwch yr ymylon â chyllell i adael darn hirsgwar 14 x 6" (35 x 15cm).

7 Os ydych am ddefnyddio'r llenwad sbeis a chyrens, taenwch ef yn wastad dros y darn toes i gyd. Yna rholiwch y darn toes i fyny fel petaech yn gwneud Swis-rôl gan ddechrau gydag un o'r ochrau byrion (6"/15cm).

8 Os ydych am ddefnyddio llenwad o bâst almon, paratowch hwnnw trwy, yn gyntaf, ei dylino a'i gynhesu gyda'ch dwylo nes y bydd yn ddigon ystwyth i'w rolio allan mor denau â phosib. Gyda chyllell, tacluswch yr ymylon i greu darn hirsgwar yr un maint â'r toes a'i osod i orwedd ar y toes. Rholiwch i fyny gan gychwyn gydag un o'r ochrau byrion fel yng ngham 7 uchod.

9 Sleisiwch y rholyn yn ddarnau tua hanner i dri chwarter modfedd (1–2cm) o drwch a gosodwch hwy'n fflat ar dun pobi. Defnyddiwch frws i'w sgleinio efo'r gymysgfa melynwy, siwgr a dŵr. Rhowch y tun pobi mewn bag plastig wedi ei iro a'i adael mewn lle cynnes am 25–30 munud nes y bydd y byns wedi codi.

10 Pobwch am 10–15 munud nes bônt yn felyn frown.

11 Addurnwch ag eisin *glacé* a gwasgarwch y cnau almon a'r ceirios *glacé* dros yr eisin.

Tamaid i gychwyn

Pregethwr hirwyntog

Cyn y wledd dy hir weddi – i ddiolch
    i Dduw am y jeli
   barodd i dwr o'th braidd di
   agor tun cyn dôi cyni.

Llŷr Gruffydd
(Cystadleuaeth *Talwrn y Beirdd*, BBC
Radio Cymru, 2009)

Cawl moron 🌿

2 owns (55g) o fenyn

12 owns (340g) o foron wedi eu plicio a'u gratio

un daten fawr wedi ei thorri'n giwbiau

hanner nionyn bychan wedi ei dorri'n fân

peint (570ml) o stoc cyw iâr, neu stoc llysiau i lysieuwyr

pupur a halen

persli wedi ei falu'n fân i addurno

1   Toddwch y menyn mewn sosban ac ychwanegwch y moron, y nionyn, y daten a'r pupur a halen. Rhowch gaead ar y sosban a gadewch i'r cawl ffrwtian yn araf am tua chwarter awr nes y bydd y moron wedi meddalu'n llwyr.

2   Ychwanegwch y stoc a gadewch iddo fudferwi am chwarter awr arall.

3   Gwasgwch y cyfan trwy ogr neu ei hylifo a'i dywallt yn ôl i'r sosban i'w ailboethi.

4   Tywalltwch i ddysglau cynnes a gwasgarwch y persli drosto.

Cawl cennin a chaws Boursin 🌿

Digon i 3 neu 4, neu i 2 fel pryd ysgafn efo bara

3 cenhinen wedi eu golchi a'u sleisio'n gylchoedd tenau

un nionyn bychan wedi ei dorri'n fân

2 daten fechan wedi eu torri'n giwbiau

pecyn 85g (tua 3 owns) o gaws Boursin, blas garlleg

owns (28g) o fenyn

tri chwarter peint (425ml) o stoc cyw iâr neu lysiau

1   Toddwch y menyn mewn sosban ac ychwanegwch y cennin, y nionyn a'r tatws. Cymysgwch y cyfan yn dda, rhowch gaead ar y sosban a'i adael i ffrwtian dros wres isel am chwarter awr. Dylid ei droi unwaith neu ddwy rhag iddo lynu yng ngwaelod y sosban.

2   Ychwanegwch y stoc, cymysgwch y cyfan yn drwyadl a rhowch y caead yn ôl ar y sosban. Gadewch iddo ffrwtian am chwarter awr eto ac yna ei adael i oeri ychydig cyn ei hylifo.

3   Hylifwch y cawl a thywalltwch ei hanner yn ôl i'r sosban.

4   Ychwanegwch y caws Boursin at y cawl sydd yn yr hylifydd a'i hylifo'n llyfn. Tywalltwch i'r sosban at weddill y cawl a chymysgwch y cyfan yn drwyadl.

5   Ailgynheswch y cawl ond peidiwch â'i ferwi rhag iddo geulo. Gweinwch mewn dysglau cynnes.

CAWL BETYS COCH 🌿

Mae hwn yn rhewi'n dda, ond heb ychwanegu'r hufen wedi ei suro (gw. *Crème fraîche*, pennod Briwsion) neu'r iogwrt.

DIGON I 6

pwys (450g) o fetys coch amrwd

pwys (450g) o datws

2 nionyn

2 owns (55g) o fenyn neu fargarîn

2½–3 pheint (1.42–1.70 litr) o stoc cyw iâr neu lysiau

pupur a halen

iogwrt neu hufen wedi ei suro i addurno

1 Pliciwch y betys a'r tatws a'u torri'n giwbiau gweddol fach. Pliciwch a thorrwch y nionod yn fân.

2 Toddwch y menyn mewn sosban fawr ac yna ffrio'r llysiau'n araf am 5 munud gyda chaead ar y sosban.

3 Ychwanegwch y stoc, dewch â'r cyfan i'r berw a'i fudferwi nes bo'r betys wedi meddalu.

4 Gadewch i'r cawl oeri ychydig cyn ei hylifo.

5 Tywalltwch yn ôl i'r sosban ac ychwanegwch bupur a halen.

6 Cyn ei weini, dewch â'r cawl i'r berw, a gweinwch mewn dysglau cynnes ag ychydig o iogwrt neu hufen wedi ei suro wedi ei dywallt yn gylch ar ben y cawl.

CAWL PERSLI 🌿

Y dyddiau hyn byddaf yn prynu persli mewn potyn o'r archfarchnad, ei rannu a'i blannu'n un rhes yn y pridd. Mae hyn yn arbed yr amser maith a gymer hadau persli i egino.

DIGON I 4

4 owns (115g) o bersli gan gynnwys y coesau

2 nionyn canolig wedi eu torri'n fân

2 daten ganolig wedi eu torri'n fân

2 beint (1.14 litr) o stoc cyw iâr neu lysiau

pupur a halen

2 owns (55g) o fenyn (nid margarîn) i ffrio

1 Toddwch y menyn mewn sosban a ffriwch y nionod a'r tatws am 2–3 munud.

2 Ychwanegwch goesau'r persli (ond nid y dail) a'r stoc. Mae clymu'r coesau'n fwndel efo edau neu linyn yn ei gwneud yn haws i'w tynnu allan yn ddiweddarach. Mudferwch am 10–15 munud i feddalu'r tatws.

3 Tynnwch y coesau persli o'r cawl. Gadewch i'r cawl oeri ychydig. Rhoi blas yn unig yw pwrpas y coesau.

4 Hylifwch y cawl ac ychwanegwch y dail persli. Hylifwch eto nes y bydd y persli wedi ei falu'n fân. Ychwanegwch bupur a halen os oes angen.

5 Bwytewch yn oer neu'n boeth. Gall llwyaid o hufen ar wyneb y cawl ychwanegu at ei flas.

CAWL MADARCH A PHERSLI

Mae blas ac oglau da i'r cawl yma. Peidiwch â mynd i ormod o drafferth i sleisio neu dorri'r madarch a'r persli'n rhy fân – cânt eu hylifo cyn eu gweini beth bynnag. Dyma risêt sy'n handi i gael gwared ar ormodedd o bersli sydd yn yr ardd acw weithiau – un ai does dim, neu mae llond cae ohono!

DIGON I 8

4 owns (115g) o fenyn

2 ewin garlleg wedi eu malu

pwys a hanner (680g) o fadarch wedi eu sleisio'n fras (madarch fflat sydd â'r blas gorau)

4 owns (115g) o ddail persli

5 tafell o fara gwyn heb y crystyn

2 beint (1.14 litr) o stoc cyw iâr neu lysiau

pupur a halen

pinsiad neu ddau o bowdr nytmeg neu fês

hanner peint (285ml) o hufen sengl (neu ddwbl – fel y mynnwch)

1 Toddwch y menyn mewn sosban ac ychwanegwch y garlleg, y madarch a'r persli. Cymysgwch y cyfan yn drwyadl. Rhowch gaead ar y sosban a gadewch iddo ffrwtian yn araf am 10 munud.

2 Malwch y bara'n friwsion bras a'u rhoi yn y sosban. Ychwanegwch y stoc, y pupur a halen a'r nytmeg (neu'r mês).

3 Dewch â'r cwbl i'r berw gan ofalu ei droi drwy'r adeg. Mudferwch am 10 munud.

4 Hylifwch a thywalltwch i sosban lân. Ychwanegwch yr hufen. Ailgynheswch y cawl ond peidiwch â gadael iddo ferwi rhag iddo geulo. Gweinwch mewn dysglau cynnes.

Cawl hadog wedi ei fygu

Gellir defnyddio pennog coch neu benfras wedi ei fygu yn lle'r hadog (corbenfras) ond peidiwch â defnyddio macrell wedi ei fygu – mae'n llawer rhy seimllyd. Mae blas y cawl hwn yn gwella o'i baratoi ddiwrnod ymlaen llaw.

Digon i 4

12 owns (340g) o hadog neu benfras wedi ei fygu

llond llwy de o fenyn neu fargarîn

un nionyn wedi ei dorri'n fân

un daten (tua 4 owns, 115g) wedi ei thorri'n giwbiau mân

peint (570ml) o lefrith

un ddeilen llawryf

pupur a halen

2 lond llwy fwrdd o bersli wedi ei falu

1 Toddwch y menyn neu'r margarîn mewn sosban. Ychwanegwch y nionyn a'i ffrio am 3 munud.

2 Ychwanegwch y daten a'r llefrith ac yna gosodwch y pysgodyn yn y gymysgfa. Ychwanegwch y ddeilen llawryf, rhowch gaead ar y sosban a mudferwch am chwarter awr neu nes bo'r daten yn barod. Tynnwch y ddeilen llawryf o'r sosban a'i thaflu.

3 Codwch y pysgodyn o'r sosban yn ofalus a'i roi ar blât. Tynnwch y croen ac unrhyw esgyrn a'u taflu a rhannwch y pysgodyn yn ddarnau gweddol o faint.

4 Tywalltwch y gymysgfa lefrith i hylifydd, ychwanegwch tua hanner y pysgodyn a hylifwch y cyfan nes y bydd yn llyfn. Tywalltwch yn ôl i'r sosban ac ychwanegwch bupur a halen os oes angen.

5 Cymysgwch weddill y pysgodyn a'r persli i'r cawl a dewch â'r cyfan i'r berw gan ofalu ei droi drwy gydol yr amser. Gweinwch mewn dysglau cynnes.

Pâté cyw iâr

3 owns (85g) o fenyn

un nionyn canolig wedi ei blicio a'i dorri

8 owns (225g) o iau cyw iâr wedi eu trimio a'u torri yn eu hanner

hanner llond llwy de o deim sych

un ewin garlleg wedi ei blicio a'i falu

pupur a halen

un ddeilen llawryf

2 lond llwy de (10ml) o sieri sych neu frandi

3 owns (85g) o fenyn wedi ei ddoddi

1 Ffriwch y nionyn yn y menyn am ychydig funudau.

2 Ychwanegwch yr iau, y teim, y garlleg, pupur a halen a'r ddeilen llawryf a choginiwch am tua 5 munud nes y bydd yr iau wedi brownio. Gadewch iddo oeri am ychydig a thynnwch y ddeilen llawryf allan a'i thaflu.

3 Malwch y cyfan yn fân efo cyllell. Ychwanegwch y sieri neu frandi a rhowch mewn prosesydd bwyd i'w wneud yn *purée* hufennog. Rhowch y *purée* un ai mewn un ddysgl fawr neu mewn dysglau bychain, un ar gyfer pob unigolyn.

4 Rhowch yn yr oergell er mwyn i'r *pâté* galedu. Wedi iddo galedu, tywalltwch y menyn wedi ei ddoddi drosto a'i adael i galedu. Gweinwch gyda thost neu fara menyn brown wedi ei dorri'n denau.

Afocado ar dost

un afocado

llond llwy fwrdd (15ml) o sudd lemwn

2 lond llwy fwrdd (30ml) o olew olewydd

pupur a halen

2 sibol o slotsyn neu 2 nionyn bach (gw. *Slots*, pennod *Briwsion*)

llond llwy de wastad o *chilli* coch, heb yr hadau, wedi ei falu'n fân

llond llwy de o ddail coriander wedi eu malu

traean blwch o egin berwr

2 dafell o fara

1 Torrwch ddail gwyrdd y slots (neu'r nionod bach) yn ddarnau modfedd (2.5cm) o hyd a malwch y bỳlb yn weddol fân.

2 Hanerwch yr afocado, ei blicio a'i dorri'n stribedi (taflwch y garreg a'r croen). Rhowch yr afocado mewn powlen efo'r sudd lemwn, olew olewydd a phupur a halen. Cymysgwch hwn gyda'r slots, y *chilli*, y coriander a'r egin berwr.

3 Torrwch gylchoedd o'r bara a'u tostio. Diferwch ychydig o olew olewydd dros y tost a gosod y gymysgfa afocado dros y tost a'i weini.

PAPAIA, HAM PARMA A REIS GWYLLT

Dylai papaia aeddfed fod yn felyn. Os prynwch un gwyrdd, rhaid ei gadw yn y tŷ am ddiwrnod neu ddau nes iddo droi'n felyn.

DIGON I 2

owns (28g) o reis gwyllt

2 lond llwy fwrdd o gnau pîn

un leim

2 sleisen denau o ham Parma, neu ham cyffredin os mynnwch

un papaia aeddfed

pupur du a halen

1. Rhowch y reis gwyllt i ferwi am 20 munud mewn dŵr berwedig wedi ei halltu ychydig (mae angen mwy o amser i ferwi reis gwyllt na reis grawn hir – gw. *Reis*, pennod *Briwsion*). Os yw'n barod dylech fedru rhoi eich ewin (neu ddant!) drwy'r hedyn heb fawr o drafferth. Peidiwch â'i orferwi rhag i'r gronynnau lynu yn ei gilydd. Hidlwch y reis a'i roi mewn powlen.

2. Tostiwch y cnau pîn yn ofalus neu eu rhoi yn y popty ar wres cymedrol nes y byddant wedi troi'n frown golau. Cymysgwch nhw efo'r reis.

3. Gwasgwch y sudd o'r leim ac ychwanegwch at y reis.

4. Torrwch yr ham yn stribedi culion, hyd coes matsien (mae siswrn yn well na dim at y gwaith). Ychwanegwch y cig at y reis gydag ychydig o bupur du, a halen os bydd angen – dichon y bydd digon o halen yn yr ham.

5. Torrwch y papaia yn ei hanner. Defnyddiwch lwy de i dynnu'r hadau du ohono a'u taflu. Tynnwch y ffrwyth yn ofalus o'i groen a'i dorri'n ddarnau gweddol fach, ei gymysgu'n dda gyda'r reis a'r cig a'i roi yn ôl yn y croen gwag. Gosodwch yr haneri ar blatiau gyda'r ochr wastad ar i fyny.

6. Addurnwch y platiau ag ychydig o ddail letys. Bwytewch gyda llwy de.

TIMBALAU EOG WEDI EI FYGU A LLENWAD CORGIMWCH

DIGON I 6

ychydig o olew ar gyfer iro

12 owns (340g) o eog wedi ei fygu

pwys (450g) o gorgimychiaid mawr

sudd a chroen hanner lemwn wedi ei ratio'n fân

pinsiad go dda o bupur Cayenne (dim mwy – mae o'n boeth!)

2 owns (55g) o fenyn wedi ei feddalu ychydig

twb chwarter peint (140ml) o hufen dwbl wedi ei guro'n weddol dew

Ar gyfer addurno

2 domato heb y croen a'r hadau (gw. *Plicio tomatos*, pennod *Briwsion*) wedi eu torri'n giwbiau

sudd hanner lemwn

2 lond llwy fwrdd (30ml) o olew olewydd

llond llwy fwrdd o gennin syfi wedi eu torri'n fân â siswrn

berwr dŵr

pupur a halen

1. Irwch 6 o ddysglau ramecin bychain ac yna eu leinio â'r tafelli eog. Gadewch i'r tafelli hongian ychydig dros ymyl y dysglau. Sgeintiwch ychydig o bupur du dros yr eog os mynnwch.

2. Rhowch y corgimychiaid (wedi eu dadmer os mai o'r rhewgell y daethant) a'r sudd lemwn mewn sosban, rhowch gaead ar y sosban a'u poethi'n araf am ychydig funudau. Tynnwch y corgimychiaid o'r sosban gyda llwy dyllog a dewch â'r hylif yn ôl i'r berw a'i ferwi nes gwelwch nad oes ond 2 lond llwy fwrdd (30ml) ar ôl yn y sosban. Gadewch iddo oeri.

3. Torrwch 8 o'r corgimychiaid yn fras a'u rhoi o'r neilltu am y tro. Rhowch y gweddill, gyda'r hylif sydd wedi oeri, mewn prosesydd bwyd. Ychwanegwch groen y lemwn wedi ei ratio, y pupur Cayenne a'r menyn a phrosesu'r cyfan nes y bydd y gymysgfa'n eithaf llyfn. Rhowch y cyfan mewn powlen neu ddysgl a phlygwch yr hufen a'r 8 corgimwch a falwyd yn fras i mewn i'r gymysgfa.

4. Llanwch y dysglau ramecin â'r gymysgfa ac yna plygwch y darnau eog oedd yn hongian dros yr ymylon yn ôl dros wyneb y llenwad. Rhowch nhw yn yr oergell i setio (rhyw awr neu ddwy).

5. I'w gweini, trowch allan gynnwys y dysglau ramecin, sef y timbalau, yn ofalus ar blât – efallai y bydd angen eu llacio ychydig gyda chyllell.

6 Cymysgwch y ciwbiau tomato, y sudd lemwn, yr olew a'r cennin syfi gyda'i gilydd. Ychwanegwch bupur a halen a chymysgwch y cyfan yn ofalus gyda berwr dŵr. Gosodwch beth o'r salad hwn yn daclus o gwmpas y timbal. Mae tost yn addas i'w weini gyda'r saig yma.

7 Os nad yw'r eog a'r corgimychiaid wedi eu rhewi a'u dadmer eisoes gellir rhewi'r timbalau i'w bwyta'n ddiweddarach. Lapiwch y dysglau ramecin mewn *cling film* ac yna mewn ffoil. Gellir eu cadw am hyd at fis yn y rhewgell. Cyn eu bwyta bydd angen eu dadmer dros nos yn yr oergell.

CODAU TATWS SBEISLYD

Dyma'r hyn a elwir yn *potato wedges* yn yr archfarchnad, ond mae'r rhain yn llawer mwy blasus ac yn rhatach hefyd.

DIGON I 4–6

2 bwys (900g) o hen datws go fawr

tua 4 owns hylifol (tua 115ml) o lefrith cneuen goco

chwarter llond llwy de o ronynnau garlleg, neu ewin garlleg wedi ei falu

hanner llond llwy de o halen

llond llwy de o lemwnwellt (*lemon grass*) wedi ei falu

hanner llond llwy de o bowdr cwmin

hanner llond llwy de o bowdr tyrmerig

chwarter llond llwy de o bowdr *chilli* poeth

llond llwy fwrdd (15ml) o olew sesame

Popty 200°C | Ffan 180°C | Nwy 6

1   Sgwriwch y tatws a'u sleisio yn eu hyd yn 8 o sglodion tew, siâp codau oren.

2   Cymysgwch weddill y cynhwysion mewn powlen go fawr i wneud hylif sbeislyd. Ychwanegwch y tatws a chymysgu'r cyfan yn dda nes y bydd y tatws wedi eu gorchuddio â'r hylif.

3   Leiniwch dun pobi mawr gyda ffoil a'i iro'n ysgafn. Tywalltwch y tatws a'r hylif dros y ffoil yn y tun mewn un haenen, h.y., gofalwch nad yw'r tatws yn gorwedd ar ben ei gilydd. Rhostiwch am dri chwarter awr i awr neu nes y byddant wedi brownio a meddalu. Dylid eu troi drosodd unwaith neu ddwy yn y cyfamser rhag ofn iddynt lynu yn y ffoil a llosgi.

4   Gellir cadw'r tatws yn gynnes ar wres isel yn y popty am oddeutu awr. Gweinwch yn boeth gyda chig a llysiau.

CIBABS EOG MEWN SAWS SOI A MÊL

Wela i ddim byd o'i le mewn coginio'r rhain a'u gweini heb y sgiwerau pren – heblaw bod hynny'n rhoi llai o steil a hwyl i'r pryd. Dylai'r darnau pysgod fod yn weddol drwchus – tua modfedd (2.5cm) o drwch.

DIGON I 4

4 ffiled eog heb groen nac esgyrn – tua phwys i gyd (450g)

3 llond llwy fwrdd (45ml) o saws soi tywyll

2 lond llwy fwrdd (30ml) o olew blodyn yr haul

3 llond llwy fwrdd (45ml) o fêl clir

llond llwy fwrdd o fwstard grawn cyflawn

4 sgiwer bren (wedi eu mwydo mewn dŵr am tua hanner awr rhag i'r pren losgi o dan y gril)

1 Torrwch bob ffiled yn 4 darn a'u rhoi mewn dysgl gweddol fas.

2 Cymysgwch y saws soi, yr olew, y mêl a'r mwstard mewn powlen i wneud marinâd ac yna ei dywallt dros y darnau pysgod yn y ddysgl. Trowch y darnau drosodd a throsodd yn ofalus ac yna rhowch orchudd ar y ddysgl a'i rhoi yn yr oergell am 2 awr o leiaf. Dylid troi'r pysgod drosodd unwaith neu ddwy yn ystod y cyfnod hwn.

3 Rhowch y gril i boethi ar wres cymedrol. Gwthiwch y sgiwerau yn ofalus drwy'r darnau pysgod (4 darn i bob sgiwer) a'u grilio am 6–8 munud. Yn ystod y cyfnod hwn dylid troi'r sgiwerau drosodd yn ofalus ac yn weddol aml, yn ogystal â brwsio'r marinâd drostynt. Gofalwch beidio â'u gorgoginio rhag sychu'r pysgodyn a pheri iddo ddisgyn oddi ar y sgiwer.

4 Gweinwch gyda salad gwyrdd a reis wedi ei ferwi. Mae rhoi sudd lemwn yn y dŵr wrth ferwi'r reis yn rhoi blas sy'n asio'n dda efo'r eog.

Cig

Dynion sy'n galw

Pan ddaw Gib y bwtshwr heibio yn ei drap o ben y dre
Fe glywch drot-trot y poni bach yn glir o le i le
Mae ganddo ffedog streipiog a chot hir ysgawn lân
Mae ê'n gofyn, "Ie-fe tamed fel o'r blân?"

Waldo

(o *Cerddi'r Plant*, E Llwyd Williams a Waldo Williams)

Caserol gamwn

4 owns (115g) o nionyn wedi ei blicio a'i ratio'n fân

4 owns (115g) o afal stiwio wedi ei blicio a'i ratio'n fân

2 owns (55g) o fricyll wedi eu sychu

hanner llond llwy de wastad o groen oren wedi ei ratio'n fân

2 owns (55g) o fenyn neu fargarîn

4 owns (115g) o friwsion bara gwyn neu frown

hanner llond llwy de wastad o berlysiau cymysg

pupur a halen

llefrith os bydd angen

6 sleisen fawr o gamwn heb ei fygu a heb y donnen (*rind*)

chwarter peint (140ml) o sudd grawnwin gwyn

Popty   180°C | Ffan 160°C | Nwy 4

1   Rhowch y bricyll i fwydo mewn dŵr dros nos, eu hidlo a'u malu'n fân (neu prynwch becyn o rai wedi eu mwydo'n barod).

2   Cymysgwch y nionyn, yr afal, y bricyll a chroen yr oren gyda'i gilydd.

3   Toddwch y menyn neu'r margarîn mewn padell neu sosban, ychwanegwch y gymysgfa nionyn a'i ffrio nes y bydd yn dechrau melynu. Tynnwch oddi ar y gwres.

4   Ychwanegwch y briwsion bara, y perlysiau a phupur a halen i wneud stwffin sy'n ddigon llaith i lynu yn ei gilydd wrth i chi ei wasgu. Os yw'n rhy laith, ychwanegwch fwy o friwsion. Os yw'n rhy sych, ychwanegwch ychydig o lefrith.

5   Taenwch y stwffin yn gyfartal dros y sleisiau gamwn a'u rholio'n rholyn. Gwthiwch ffon goctel neu sgiwer fechan drwy bob rholyn i'w ddal yn ei le.

6   Gosodwch y 6 rholyn ochr yn ochr ar waelod dysgl gaserol gweddol fas (peidiwch â gosod un ar ben y llall) a thywalltwch y sudd grawnwin dros y cwbl.

7   Rhowch gaead ar y ddysgl a choginiwch am 40 munud yn y popty.

8   Tynnwch y ffyn coctel neu'r sgiwerau allan cyn gweini. Gweinwch gyda sglodion crwn neu datws stwnsh wedi eu ffrio (h.y., tatws wedi eu berwi yn gyntaf a'u sleisio neu eu stwnsio cyn eu ffrio) ac unrhyw lysieuyn.

Sicori mewn ham

Llysieuyn crimp yw sicori (ysgallen y meirch, *chicory* neu *endive*) gyda blas ychydig yn chwerw iddo. Gellir ei ddefnyddio mewn salad neu wedi ei goginio'n araf mewn hylif.

Digon i un

2 sicori – tua 3 owns (85g) yr un

2 sleisen denau o ham

llond llwy de o fargarîn

4 llond llwy de o nionyn wedi ei dorri'n fân

sudd un oren ganolig ei maint

1 Dylid taflu unrhyw ddail sydd wedi gwywo a thorri'r gwreiddyn oddi ar y ddau sicori cyn eu golchi'n drwyadl o dan y tap dŵr oer. Peidiwch â gadael iddynt fwydo mewn dŵr gan y bydd hyn yn eu gwneud yn fwy chwerw.

2 Toddwch y margarîn mewn sosban fach – un drom fyddai orau fel nad yw'r nionyn yn llosgi. Ychwanegwch y nionyn a'i ffrio am 3–4 munud gan ei droi yn gyson.

3 Gosodwch y ddau sicori ar ben y nionyn yn y sosban a gosodwch yr ham fel blanced neu gyfrwy dros bob un. Tywalltwch y sudd oren drostynt.

4 Dewch â'r cyfan i'r berw, rhowch gaead ar y sosban a throwch y gwres i lawr mor isel ag sy'n bosib. Mudferwch am 35–40 munud.

5 Gallech weini hwn gyda thatws trwy'u crwyn.

Porc mewn gwin coch

Digon i 4

pwys a hanner (680g) o lwyn o borc

Y marinâd

un nionyn wedi ei sleisio

un foronen wedi ei sleisio

coesyn seleri wedi ei sleisio

un ewin garlleg

6 o aeron y ferywen

sleisen o lemwn

un ddeilen llawryf

hanner peint (285ml) o win coch

2 lond llwy fwrdd (30ml) o finegr gwin

6 o rawn pupur du

Y caserol

llond llwy fwrdd (15ml) o olew

owns (28g) o fenyn

4 owns (115g) o nionod wedi eu plicio a'u torri'n fân

4 owns (115g) o fadarch bach

owns (28g) o flawd plaen

chwarter peint (140ml) o stoc porc

un ewin garlleg wedi ei falu

llond llwy bwdin o jeli eirin damson

pupur du a halen

persli i addurno

Popty 170°C | Ffan 150°C | Nwy 3

1 Torrwch y cig yn giwbiau tua 2" (5cm) o faint.

2 Cymysgwch gynhwysion y marinâd efo'i gilydd mewn dysgl ac ychwanegwch y cig. Cymysgwch y cyfan yn dda. Rhowch gaead ar y ddysgl a'i gadael mewn lle gweddol oer neu yn yr oergell dros nos.

3 Codwch y cig o'r ddysgl a'i sychu ar bapur cegin. Tywalltwch y marinâd sydd ar ôl yn y ddysgl drwy hidl, gan ofalu cadw'r hylif i'w ddefnyddio'n ddiweddarach.

4 Poethwch hanner yr olew mewn padell ffrio go drom. Rhowch hanner y cig yn yr olew a'i ffrio nes y bydd wedi brownio'n dda, a'i drosglwyddo i ddysgl gaserol (gw. *Ffrio cig i'w frownio*, pennod *Briwsion*). Os bydd gwaelod y badell wedi mynd yn sych, ychwanegwch ychydig o'r sudd marinâd er mwyn hwyluso'r broses o grafu'r darnau blasus oddi ar y gwaelod a'u rhoi yn y ddysgl gaserol. Rhowch weddill yr olew yn y badell a ffrio gweddill y cig i'w frownio cyn ei drosglwyddo i'r ddysgl gaserol. Eto, defnyddiwch beth o'r sudd marinâd i lanhau gwaelod y badell fel o'r blaen os bydd angen.

5 Toddwch y menyn yn y badell ffrio a ffriwch y nionyn nes y bydd yn dechrau newid ei liw. Ychwanegwch y madarch a'u ffrio am 2 funud cyn eu trosglwyddo i gyd i'r ddysgl gaserol.

6 Ychwanegwch y blawd a'i gymysgu'n dda gyda'r menyn sydd ar ôl yn y badell. Ychwanegwch weddill y sudd marinâd a'r stoc porc yn raddol (os gwneir hyn ar ormod o frys bydd y saws yn llawn lympiau). Cymysgwch nes daw i'r berw a chrafwch waelod y badell eto rhag ofn bod rhagor o'r tameidiau bach blasus ar ôl. Ychwanegwch y garlleg, y jeli eirin damson a'r pupur a halen a chymysgwch y cyfan yn ofalus.

7 Tywalltwch y cyfan i'r ddysgl gaserol. Rhowch gaead ar y ddysgl a choginiwch am awr i awr a hanner neu nes y bydd y cig yn frau.

8 Addurnwch gyda phersli wedi ei falu a bwytewch gyda reis wedi ei ferwi, tatws trwy'u crwyn neu datws newydd ac unrhyw lysieuyn o'ch dewis.

CASEROL SELSIG PORC A SBEIS MEWN SEIDR

DIGON I 3 NEU 4

pwys (450g) o selsig porc go dew (tua 6 ohonynt)

tri chwarter peint (425ml) o seidr sych, cryf

llond llwy fwrdd (15ml) o finegr seidr

un afal stiwio, heb ei blicio, a'r galon wedi ei thynnu allan

llond llwy bwdin o aeron y ferywen wedi eu malu'n fras gyda chefn llwy fwrdd

2 lond llwy bwdin (20ml) o olew olewydd

8 owns (225g) o nionod wedi eu plicio a'u sleisio'n gylchoedd

un ewin garlleg mawr wedi ei blicio a'i falu

8 owns (225g) o gig moch wedi ei fygu (heb y donnen – *rind*) wedi ei dorri'n fras gyda siswrn

llond llwy fwrdd o flawd plaen

sbrigyn neu ddau o deim

2 ddeilen llawryf

pupur du a halen

Bydd angen padell ffrio ddofn, drom sy'n dal 4 peint (2.25 litr) gyda chaead tyn iddi – 8" (20cm) ar ei thraws a 3" (7.5cm) o ddyfnder.

1 Gosodwch y badell ffrio ar wres cymedrol a rhowch ynddi lond llwy bwdin (10ml) o'r olew i boethi. Ffriwch y selsig yn hwn nes y byddant wedi brownio drostynt ac yna eu codi allan a'u rhoi ar blât am y tro.

2 Rhowch y nionod, y garlleg a'r cig moch yn y badell ffrio a'u ffrio nes y byddant wedi dechrau brownio – tua 10 munud. Rhowch ar y plât gyda'r selsig.

3 Rhowch weddill yr olew yn y badell a'i boethi. Sleisiwch yr afal yn gylchoedd a'u ffrio yn yr olew yn ofalus nes y byddant wedi brownio – fe gymer hyn tua 2–3 munud. Gosodwch yn ofalus ar blât a'u rhoi o'r neilltu am y tro. Tynnwch y badell oddi ar y gwres ac ychwanegwch y blawd at yr hylif (olew) sydd yn y badell a'i gymysgu'n drylwyr gyda llwy bren.

4 Ychwanegwch y seidr a'r finegr ychydig ar y tro gan ofalu troi'r cyfan drwy'r adeg.

5 Ychwanegwch y teim, y dail llawryf, aeron y ferywen, y pupur du ac ychydig o halen – cofiwch fod y cig moch yn hallt eisoes. Rhowch y badell yn ôl ar y gwres a dewch â'r cyfan yn ôl i'r berw gan ofalu ei droi â llwy bren drwy gydol yr amser. Ychwanegwch y selsig a'r cig moch, y nionyn a'r garlleg ac, yn olaf, y cylchoedd afal a chymysgwch y cyfan yn ofalus rhag malu'r cylchoedd afal.

6 Rhowch gaead ar y badell a gadewch i'r cyfan fudferwi ar y gwres isaf posib am hanner i dri chwarter awr. Gweinwch gyda thatws wedi eu stwnsio a'u hufennu.

CIG LLO MEWN SAWS CORBWMPEN

Gan fod cig llo yn fwy brau na chig eidion fel rheol, gellir rhostio neu ffrio mwy o lawer o wahanol ddarnau o'r llo. Gan nad oes llawer o fraster ar gig llo rhaid sicrhau ei fod yn cael ei fastio'n aml wrth goginio i arbed iddo sychu a chaledu.

DIGON I UN

4–6 owns (115–170g) o gig llo – i mi, y ffiled neu'r lwyn

sudd lemwn

hanner owns (15g) o fargarîn i ffrio

Y saws

llond llwy de o fargarîn

un sibol o slotsyn (gw. *Slots*, pennod *Briwsion*) wedi ei dorri'n fân

tua 2 owns (55g) o gorbwmpen wedi ei thorri'n ddarnau hirgul (fel matsys)

2 lond llwy de (10ml) o ddŵr

sudd lemwn

3 llond llwy fwrdd (45ml) o hufen sengl

pupur a halen

1   Sgeintiwch hanner llond llwy de (2.5ml) o'r sudd lemwn dros un ochr y cig a'i roi o'r neillltu.

2   I gychwyn gwneud y saws, toddwch y margarîn mewn sosban fechan, ychwanegwch y slotsyn a'i ffrio am 3 munud.

3   Ychwanegwch y gorbwmpen, y dŵr a 2 lond llwy de (10ml) o sudd lemwn. Rhowch gaead ar y sosban a choginio'r cyfan ar wres cymedrol am 5–6 munud gan ei droi o dro i dro.

4   Yn y cyfamser, toddwch yr hanner owns o fargarîn mewn padell ffrio fechan ac ychwanegwch y cig a'i ffrio am 4 munud. Trowch y cig drosodd, diferwch hanner llond llwy de (2.5ml) o sudd lemwn drosto a'i ffrio eto am 4–5 munud.

5   Tynnwch y caead oddi ar y sosban sy'n cynnwys y saws, ychwanegwch yr hufen ac ychydig o bupur a halen i'r gymysgfa a'u cymysgu. Cynheswch y cyfan dros wres isel rhag ofn iddo geulo.

6   Gweinwch y cig ar blât cynnes a thywalltwch y saws drosto. Defnyddiwch lysiau o'ch dewis.

Stiw mewn stowt

DIGON I 6

2 bwys (900g) o olwyth stiwio o safon da (cig eidion fel arfer)

2 owns (55g) o flawd plaen

pupur a halen

3 llond llwy fwrdd (45ml) o olew ac owns (28g) o fargarîn

2 nionyn gweddol fawr

4 owns (115g) o fadarch

un tun bach (tua 2–3 owns, 55–85g) o *purée* tomato

tri chwarter peint (425ml) o stowt

llond llwy de (5ml) o finegr

2–3 deilen llawryf

Popty 150°C | Ffan 130°C | Nwy 2

1 Torrwch y cig yn giwbiau taclus.

2 Rhowch y blawd a phupur a halen mewn bag plastig go gryf a rhowch y darnau cig ynddo a'i ysgwyd yn dda fel bod gorchudd o flawd dros bob darn o gig.

3 Poethwch yr olew a'r margarîn mewn sosban a ffriwch y cig, ychydig ohono ar y tro, i'w frownio drosto (gw. *Ffrio cig i'w frownio*, pennod *Briwsion*). Cymysgwch â llwy bren rhag iddo lynu yng ngwaelod y sosban. Rhowch y cig i gyd yn ôl yn y sosban.

4 Pliciwch y nionod a'u sleisio'n denau.

5 Golchwch a sychwch y madarch ac yna eu sleisio. Rhowch y nionod a'r madarch yn y sosban a gadewch iddynt ffrio am 2–3 munud.

6 Cymysgwch y stowt, y *purée* tomato, y dail llawryf a'r finegr i mewn i'r gymysgfa yn y sosban ac ychwanegwch fwy o bupur a halen os oes angen.

7 Gadewch iddo ddod i'r berw ac yna tywalltwch y cyfan i ddysgl gaserol gan ofalu crafu gwaelod y sosban rhag ofn bod tameidiau bach blasus ar ôl! Rhowch gaead ar y ddysgl a choginiwch am 2–3 awr neu nes bo'r cig yn frau.

8 Gellir rhoi tatws i bobi yn eu crwyn ar y silff uwchben y stiw dros yr awr a hanner olaf. Mae'n hynod o flasus gyda salad gaeaf hefyd.

Salad gaeaf

hanner bresychen wen, galed wedi ei sleisio'n eithriadol o denau

nionyn bychan wedi ei blicio a'i sleisio'n denau iawn

2 foronen wedi eu plicio a'u gratio

4 llond llwy fwrdd o *mayonnaise* o safon da

pupur a halen

2 lond llwy fwrdd (30ml) o hufen sengl neu lefrith

1 Cymysgwch y llysiau gyda'i gilydd mewn powlen fawr.

2 Cymysgwch y *mayonnaise*, yr hufen neu lefrith a phupur a halen gyda'i gilydd ac yna ei dywallt dros y llysiau. Cymysgwch y cyfan yn drwyadl.

Mwsaca

A bod yn fanwl gywir, dylid defnyddio'r llysieuyn wylys (*aubergine*) i wneud mwsaca go iawn. Gan amlaf, madarch y byddaf i'n eu defnyddio am y rheswm syml eu bod bob amser ar gael yn y siopau lleol ac maent yn dipyn rhatach i'w prynu. Hefyd, cig oen yw'r deunydd traddodiadol ond mae'n well gen i gig eidion.

Fel rheol dylid paratoi'r wylys fel hyn er mwyn cael gwared ar unrhyw flas chwerw.

1 Torrwch y llysieuyn yn giwbiau neu gylchoedd.

2 Sgeintiwch halen drosto a'i roi mewn gogr am tua hanner awr â phlât ar ei ben.

3 Yna rhowch yr wylys o dan y tap dŵr oer i'w olchi'n drwyadl ac yna ei sychu ar bapur cegin.

A dweud y gwir, fydda i byth bron yn mynd i'r fath drafferth am na chefais i erioed wylys chwerw. Weithiau ychwanegaf gorbwmpen wedi ei sleisio at y saig yma, yn enwedig pan fo gormodedd ohonynt yn barod gyda'i gilydd yn yr ardd acw. Os ydych am ychwanegu corbwmpen neu wylys dylid eu ffrio yn gyntaf i roi blas ac yna eu rhoi ar bapur cegin, gan fod y ddau lysieuyn yn amsugno saim fel y coblyn.

8 owns (225g) o nionod

pwys (450g) o friwgig eidion neu borc

ciwb stoc

llond llwy de wastad o berlysiau sych cymysg

llond llwy fwrdd o bersli ffres wedi ei falu'n fân

pupur a halen

tun mawr 15 owns (425g) o domatos

8 owns (225g) o fadarch wedi eu golchi, eu sychu a'u sleisio

Y saws caws

owns (28g) o fargarîn

owns (28g) o flawd plaen

hanner peint (285ml) o lefrith

un i 2 owns (28–55g) o gaws Cheddar wedi ei ratio

un ŵy wedi ei guro

Popty 190˚C | Ffan 170˚C | Nwy 5

1 Gosodwch dun pobi i boethi yn y popty (gw. *Caserol*, pennod *Briwsion*). Irwch ddysgl gaserol (4 peint, 2.3 litr) weddol ddofn sy'n gwrthsefyll gwres popty.

2 Pliciwch y nionod a'u sleisio'n denau.

3 Rhowch y briwgig mewn sosban a'i ffrio'n araf nes bod y saim yn dod allan ohono.

4 Ychwanegwch y nionod a ffrio'r gymysgfa am 2 funud. Crafwch waelod y sosban rhag ofn bod tameidiau bach blasus wedi glynu yno!

5   Malwch y ciwb stoc i mewn i'r sosban ac
    ychwanegwch y perlysiau sych, y persli a phupur
    a halen a chymysgwch yn dda. Tynnwch y sosban
    oddi ar y gwres.

6   Hidlwch y llond tun o domatos a rhowch yr hylif
    o'r neilltu nes bo'i angen. Sleisiwch y tomatos os
    ydynt yn gyfan.

7   Rhowch drwch o'r gymysgfa gig o'r sosban ar
    waelod y ddysgl gaserol, yna trwch o fadarch
    a thrwch o domatos wedyn. Gwnewch hyn eto
    gan orffen gyda'r tomatos fel o'r blaen ond gan
    gynnwys hylif y tun tomatos y tro yma.

Y saws caws

8   Toddwch y margarîn mewn sosban, ychwanegwch
    y blawd a chymysgwch yn dda. Ffriwch yn araf
    am 2 funud a'i gymysgu â llwy bren gan ofalu nad
    yw'n newid ei liw (gw. *Roux*, pennod *Briwsion*).
    Tynnwch y sosban oddi ar y gwres.

9   Ychwanegwch y llefrith yn raddol ac yna rhowch
    y sosban yn ôl ar y gwres. Gadewch i'r saws
    ddod i'r berw gan ofalu ei droi â llwy bren trwy
    gydol yr amser. Gadewch iddo fudferwi am 2
    funud.

10 Trowch y gwres i ffwrdd. Ychwanegwch dri
    chwarter y caws, yr ŵy a'r pupur a halen a
    chymysgwch y cyfan yn dda.

11 Tywalltwch y saws dros gynnwys y ddysgl gaserol
    a gwasgarwch weddill y caws drosto.

12 Rhowch gaead ar y ddysgl gaserol cyn ei rhoi ar
    y tun pobi yn y popty i goginio am awr. Tynnwch
    y caead ac yna rhoi'r ddysgl yn ôl yn y popty am
    hanner awr arall nes y bydd y saws caws wedi
    brownio.

13 Bwytewch gyda reis, sglodion tatws neu datws
    trwy'u crwyn.

PASTEION CERNYW

pwys i bwys a hanner (450–680g) o does crwst brau parod (neu gw. y dull yn *Quiche madarch a nionod*, tud. 122)

2 neu 3 taten ganolig eu maint

un nionyn canolig ei faint wedi ei ddeisio

4 owns (115g) o rwden wedi ei phlicio a'i deisio'n fân

12 owns (340g) o olwyth cig eidion o safon da wedi ei dorri'n giwbiau

pupur a halen

2 owns (55g) o fenyn neu fargarîn

un ŵy wedi ei guro

Popty 220°C | Ffan 200°C | Nwy 7

1. Rholiwch y toes crwst brau allan i drwch o chwarter modfedd (6mm) a thorrwch 6 chylch 6" (15cm) ar eu traws allan ohono. Ar gyfer pob cylch gwnewch y canlynol, gan rannu'r cynhwysion rhwng pob un.

2. Sleisiwch y tatws yn eithriadol o denau.

3. Gosodwch rai o'r sleisiau tatws ar ganol y cylch.

4. Gosodwch y nionyn ar ben y tatws, yna'r rwden ac wedyn y cig.

5. Sgeintiwch ychydig o bupur a halen dros y cyfan cyn gorchuddio'r cig â gweddill y tatws. Rhowch ddarnau bach, bach o fenyn neu fargarîn ar ben y tatws.

6. Gwlychwch ymylon y toes efo dŵr.

7. Plygwch y bastai yn ei hanner a gwasgwch yr ymylon at ei gilydd yn bletiog gyda bys a bawd gan eu selio'n dda. Bydd pasteiod gogledd Cernyw yn cael eu gosod i goginio gyda'r ymyl bletiog at i fyny, ond yn ne Cernyw gosodir y bastai ar ei hochr ar y tun pobi.

8. Rhowch ar dun pobi yn ôl arfer y gogledd neu'r de. Brwsiwch ŵy wedi ei guro dros y pasteiod a choginiwch am 10 munud ac yna trowch y gwres i lawr i 180°C (Ffan 160°C, Nwy 4) a choginiwch am 40–45 munud arall.

STROGANOFF CIG EIDION

Gellir paratoi hwn mewn byr amser, felly mae gofyn cael darn gorau'r anifail yn hytrach na darn sy'n fwy addas ar gyfer lobscows neu gaserol. Yn wahanol i risetiau cyffelyb, nid oes paprica ynddo.

DIGON I 4

pwys a hanner (680g) o ffiled cig eidion

un nionyn mawr wedi ei sleisio'n denau

un ewin garlleg wedi ei falu

8 owns (225g) o fadarch wedi eu sleisio

chwarter peint (140ml) o win gwyn gweddol sych

2 lond llwy fwrdd (30ml) o frandi

4 owns (115g) o fenyn

pupur du a halen

chwarter peint (140ml) o stoc cig eidion

llond llwy fwrdd (15ml) o olew

hanner peint (285ml) o hufen wedi ei suro (gw. *Crème fraîche*, pennod *Briwsion*)

4 llond llwy fwrdd (60ml) o hufen

1   Torrwch y cig yn stribedi 2" (5cm) o hyd ac o drwch pensil.

2   Toddwch 2 owns (55g) o'r menyn mewn padell ffrio a ffriwch y nionyn i'w feddalu, ond peidiwch â'i frownio. Ychwanegwch y madarch a'r garlleg a'u ffrio am hanner munud. Ychwanegwch y gwin a'r stoc. Gadewch iddo ferwi'n ffyrnig nes y bydd yr hylif wedi berwi i lawr at ei hanner. Dylai fod tua 4 llond llwy fwrdd (60ml) ar ôl yn y badell. Tywalltwch i bowlen gan ofalu crafu'r hyn sydd wedi glynu yng ngwaelod y badell hefyd – hwn sy'n gwneud y grefi mor flasus!

3   Rhowch yr olew a gweddill y menyn yn y badell a'u poethi, gan ofalu peidio llosgi'r menyn (gw. *Menyn*, pennod *Briwsion*). Ffriwch y stribedi cig yn gyflym yn hwn gan ysgwyd y badell a'u symud o gwmpas nes y byddant wedi eu brownio a'u selio (gw. *Ffrio cig i'w frownio,* pennod *Briwsion*). Trowch y gwres i lawr.

4   Dyma'r darn cyffrous! Tywalltwch y brandi i'r badell a'i roi ar dân trwy ogwyddo'r badell at y fflam – os mai nwy sydd gennych. Os mai trydan sydd dan y badell, defnyddiwch fatsien! Cyn gynted ag y bydd y fflamau wedi diffodd, ychwanegwch y stoc a'i gynnwys. Cymysgwch yr hufen (nid yr un wedi ei suro) i mewn iddo.

5   Ychwanegwch bupur a halen os oes angen. Os yw'r saws yn rhy denau, tynnwch y darnau cig o'r badell a gadewch i'r saws ferwi nes y bydd wedi tewychu ac yna rhowch y cig yn ei ôl. Cynheswch eto os bydd angen.

6   Ychwanegwch yr hufen wedi ei suro a'i gymysgu gyda fforc. Does dim angen cymryd gofal mawr wrth wneud hyn.

7   Gweinwch y stroganoff gyda reis.

HOTPOT ANGHYFFREDIN

Roedd yn gas gen i hotpot ers talwm am fod y cig yn llawn braster. Y dyddiau hyn yr ydym yn llawer mwy ymwybodol o afiechydon a achosir trwy fwyta gormod o fraster. Felly, dyma addasiad o'r risêt wreiddiol gan ddefnyddio golwyth cig oen yn lle'r sgrag. Gellir addasu'r risêt yma ar gyfer dysglau bach. Mae'r dull yr un fath ond rhennir y cynhwysion rhwng pedair dysgl a'u coginio am hanner awr ar y gwres uwch (cam 8).

DIGON I 3 NEU 4

darn o lwyn cig oen, pwys a hanner i ddeubwys (680–900g), heb yr asgwrn

24 o nionod bach, tebyg i nionod piclo, wedi eu plicio

3 darn o seleri wedi eu torri'n fân

2 lond llwy fwrdd (30ml) o olew olewydd

18 o fadarch bach

chwarter peint (140ml) o win gwyn sych

tri chwarter peint (425ml) o stoc cyw iâr neu gig oen

6 o datws tua phedair owns (115g) yr un

owns (28g) o fenyn

Popty 170°C | Ffan 150°C | Nwy 3

1 Torrwch y braster oddi ar y cig.

2 Sleisiwch y cig yn 8–12 o ddarnau cyfartal.

3 Cynheswch yr olew mewn padell ffrio go fawr a ffriwch y cig yn gyflym fesul 4–6 darn i'w frownio (gw. *Ffrio cig i'w frownio*, pennod *Briwsion*). Rhowch y cig ar bapur cegin i'w sychu, ac yna ei osod mewn dysgl gaserol ddofn sy'n dal 4 peint (2.3 litr).

4 Browniwch y nionod bach yn y badell dros wres gweddol uchel. Ychwanegwch ragor o olew os oes angen. Rhowch y nionod yn y ddysgl gaserol.

5 Ffriwch y seleri a'r madarch yn gyflym a'u rhoi yn y ddysgl gaserol gyda'r gwin, y stoc a phupur a halen. Gofalwch grafu'r darnau blasus sydd wedi glynu yng ngwaelod y badell a'u cymysgu gyda'r gweddill.

6 Pliciwch a sleisiwch y tatws yn denau a'u gosod dros y cig a'r llysiau yn y ddysgl mewn cylchoedd sy'n gorgyffwrdd.

7 Toddwch y menyn a'i frwsio dros wyneb y tatws. Sgeintiwch bupur a halen dros y cyfan, rhowch gaead ar y ddysgl a choginiwch am awr a hanner.

8 Tynnwch y caead oddi ar y ddysgl a chodwch wres y popty i 190°C, Ffan 170°C, Nwy 5 a choginiwch am dri chwarter awr i awr arall. Erbyn hyn dylai'r tatws fod wedi brownio, a'r cig yn frau.

Yn wir, nid oes angen unrhyw lysieuyn ychwanegol i'w fwyta gyda hwn, ond yn ein tŷ ni mae'n rhaid cael sôs brown a phicl bresych coch ac, wrth gwrs, rhaid mopio'r grefi gyda thafell o fara cartref!

CIG OEN A FFA MEWN SAWS LEMWN

DIGON I 6

coes oen gweddol fawr

pwys (450g) o ffa ifanc

un ewin garlleg bychan wedi ei blicio

croen un lemwn wedi ei ratio'n fân, a'r sudd

2 felynwy wedi eu curo

pupur du a halen

chwarter peint (140ml) o hufen sengl

chwarter peint (140ml) o stoc cyw iâr

Popty 190°C | Ffan 170°C | Nwy 5

1   Torrwch yr ewin garlleg yn ddau hanner a'u rhwbio dros y cig. Sgeintiwch bupur a halen drosto hefyd.

2   Rhostiwch y cig am awr a hanner i ddwy awr (yn ôl maint y goes). Tynnwch y cig o'r tun a'i sleisio'n ddarnau trwchus. Rhowch o'r neilltu i'w gadw'n boeth mewn dysgl weddol fas.

3   Berwch y ffa mewn dŵr wedi ei halltu nes y byddant yn barod, yna hidlwch hwy ond cadwch y dŵr.

4   Rhowch y tun cig, gan gynnwys yr ychydig sudd a ddaeth allan o'r cig, dros wres isel. Ychwanegwch y stoc, y melynwy wedi ei guro a'r hufen. Cymysgwch yn ofalus drwy gydol yr amser nes y bydd y saws wedi tewychu. Gofalwch nad yw'n berwi neu bydd yn siŵr o geulo a difetha.

5   Ychwanegwch groen a sudd y lemwn, ac ychydig o ddŵr y ffa os yw'r saws yn rhy dew. Ychwanegwch ragor o bupur a halen os oes angen.

6   Ychwanegwch y ffa at y saws a thywalltwch dros y cig. Os yw'r saws o'r tewdra iawn, dylai aros yn orchudd dros y cig heb lifo i ffwrdd. Bwytewch gyda reis a blodfresych.

LLYSIAU AR GYFER CIG OEN

Am gyfnod, pan oedd fy nghoes mewn plaster, câi fy mwyd ei baratoi gan Sieff Rhif 2 tŷ ni! Dyma un o greadigaethau hynod o flasus y sieff hwnnw.

DIGON I 2

un nionyn canolig ei faint

3 cenhinen gweddol fawr

un pupur gwyrdd neu felyn

llond llwy bwdin go dda o fêl

olew olewydd gyda blas basil iddo

ychydig o fasil sych

pupur a halen

1   Sleisiwch y nionyn yn gylchoedd a'u haneru. Torrwch y cennin yn gylchoedd chwarter i hanner modfedd (1cm) o drwch. Ar ôl tynnu calon y pupur a'r hadau ymaith a'u taflu, torrwch yn stribedi cul.

2   Mewn padell ffrio 8–9" (20–23cm) rhowch ddigon o olew olewydd i orchuddio'r gwaelod yn dda. Ychwanegwch y nionyn a ffriwch nes y bydd yn feddal. Yna ychwanegwch y cennin a'r stribedi pupur, ychydig o halen a phupur a phinsiad neu ddau o'r basil sych. Rhowch gaead ar y badell a ffrio'r llysiau'n araf nes y bydd y cennin a'r pupur

yn dechrau meddalu. Gofalwch eu troi bob yn hyn a hyn.

3   Ychwanegwch y mêl a'i gymysgu'n dda gyda'r cynhwysion eraill. Dewiswch fêl a chanddo flas da. Ffriwch i orffen meddalu'r llysiau (ac i gael gwared ar beth o'r dŵr a ddaeth o'r llysiau), gan eu troi yn awr ac yn y man.

4   Codwch y llysiau o'r badell a'u gosod yn daclus ar ganol pob plât. Rhowch sleisen dew o goes oen wedi ei rhostio i orwedd ar y llysiau. Ailboethwch y sudd sydd ar ôl yn y badell a'i dywallt dros y cig oen ar bob plât. Bwytewch gyda thatws newydd.

Siancod oen

4 sianc oen gweddol fach

2 lond llwy fwrdd o flawd plaen

2 lond llwy fwrdd (30ml) o olew

2 nionyn wedi eu plicio a'u torri'n fân

2 foronen wedi eu sleisio

2 ewin garlleg wedi eu malu

4 llond llwy de o rosmari ffres wedi ei falu'n fân neu
    hanner llond llwy de o rosmari sych

2 ddeilen llawryf

2 lond llwy fwrdd o *purée* tomato

peint a thri chwarter (1 litr) o stoc cyw iâr

bron i hanner peint (250ml) o *ruby port*

pupur a halen

Popty 150°C | Ffan 130°C | Nwy 2

1   Rhowch y blawd mewn bag plastig, ychwanegwch
    y siancod fesul un a'u trochi yn y blawd.

2   Poethwch hanner yr olew dros wres cymedrol
    mewn padell ffrio fawr neu sosban fas, lydan sy'n
    addas i'w rhoi yn y popty. Ychwanegwch y 4 sianc
    a'u ffrio nes y byddant wedi brownio drostynt.
    Tynnwch y siancod o'r badell a'u rhoi o'r neilltu
    am y tro.

3   Rhowch weddill yr olew, y nionod, y moron, y
    garlleg, y rhosmari a'r dail llawryf yn y badell.
    Rhowch gaead arni ond nid yn dynn – er mwyn
    i'r stêm gael dianc. Coginiwch am tua 10 munud.
    Trowch yn weddol aml. Tynnwch y badell oddi ar
    y gwres.

4   Ychwanegwch y *purée* tomato ac unrhyw flawd
    sy'n weddill yn y bag plastig, a chymysgwch yn
    drwyadl.

5   Yn raddol, ychwanegwch y stoc a'r port a
    chymysgwch yn dda. Rhowch y badell yn ôl ar y
    gwres a dewch â'r cyfan i'r berw, gan gofio ei droi
    drwy gydol yr amser. Ychwanegwch y 4 sianc,
    trowch y gwres yn is a gadewch i'r cyfan fudferwi
    am 2–3 munud. Trowch y siancod drosodd gan
    ddefnyddio llwy fwrdd a fforc a gadewch iddynt
    fudferwi am 2–3 munud arall.

6   Rhowch gaead ar y badell a'i rhoi yn y popty i
    ffrwtian yn araf am 2 awr a hanner i 3 awr neu
    nes bo'r cig bron yn syrthio oddi ar yr asgwrn.
    Gallwch droi'r siancod drosodd bob rhyw awr
    os mynnwch – yn wir, mae hyn yn arbed iddynt
    sychu ar yr ochr sydd allan o'r sudd.

7   Wedi tynnu'r badell o'r popty barnwch a yw'r
    sudd neu'r grefi yn rhy denau ai peidio. Os ydyw,
    codwch y siancod allan a'u gorchuddio â ffoil rhag
    iddynt oeri.

8   Mudferwch y grefi heb gaead ar y badell nes y
    bydd wedi tewychu. Rhowch y siancod yn eu
    holau yn y grefi yn y badell a chynheswch yn
    drwyadl yn y popty cyn eu gweini.

9   Os mynnwch, gallwch baratoi hyd at ddiwedd
    cam 7 uchod y diwrnod cyn bo'u hangen. Mantais
    hyn yw y medrwch godi unrhyw fraster sydd
    wedi caledu ar wyneb y grefi a'i daflu.

Cyw iâr, madarch a saws gwin a thomato

3 brest cyw iâr

3 ewin garlleg wedi eu malu

3 nionyn canolig wedi eu torri'n fân

3 llond llwy fwrdd (45ml) o win gwyn neu *vermouth* sych

6 owns (170g) o fadarch wedi eu sleisio

tun 14 owns (400g) o domatos

llond llwy bwdin o *purée* tomato

un i 2 owns (28–55g) o goconyt hufennog

2 owns (55g) o gnau cashiw

hanner llond llwy de o oregano sych

pupur a halen

olew i ffrio

1 Torrwch y cig yn ddarnau tua modfedd (2.5cm) o faint.

2 Poethwch ychydig o olew mewn woc neu badell ffrio fawr â chaead iddi. Ychwanegwch y nionod a'r garlleg a'u ffrio i'w meddalu a'u brownio ychydig. Rhowch ar blât am y tro.

3 Ychwanegwch ychydig mwy o olew os oes angen a ffrio'r cig i'w frownio (gw. *Ffrio cig i'w frownio*, pennod *Briwsion*). Rhowch y madarch i mewn wedyn a'u ffrio'n weddol gyflym am tua 5 munud fel nad ydynt yn magu hylif. Rhowch y nionod a'r garlleg yn ôl yn y badell.

4 Ychwanegwch y gwin a gadael iddo ferwi am ychydig cyn ychwanegu'r tomatos, yr oregano a'r *purée* tomato. Cymysgwch yn drwyadl.

5 Rhowch gaead ar y woc neu'r badell a gadael i'r cyfan ffrwtian am tua 20 munud, gan ofalu troi'r cynnwys bob yn hyn a hyn rhag iddo lynu yng ngwaelod y badell.

6 Ychwanegwch y coconyt hufennog a throwch y gymysgfa'n drwyadl. Rhowch gaead ar y badell neu'r woc a choginiwch am 5 munud arall. Ychwanegwch y cnau cashiw a phupur a halen a'u cynhesu'n drwyadl.

7 Gweinwch gyda reis neu basta.

CYW IÂR HUFENNOG

Y gwahaniaeth rhwng *suprême* a brest cyw iâr yw bod asgwrn yr adain yn dal yn sownd wrth y *suprême*. Gellir defnyddio'r naill neu'r llall yn y risêt yma.

DIGON I 4

4 *suprême* (neu frest) cyw iâr

2 owns (55g) o gaws Gruyére

3 owns (85g) o fenyn

llond llwy fwrdd helaeth o bersli wedi ei falu

4 owns (115g) o fadarch bach

2 lond llwy fwrdd (30ml) o olew

3 thomato mawr caled

chwarter peint (140ml) o stoc cyw iâr neu win gwyn sych

6 llond llwy fwrdd (90ml) o hufen dwbl

pupur a halen

1 Sychwch y 4 darn cig ar bapur cegin a defnyddiwch gyllell finiog i wneud poced ddofn yn y rhan fwyaf trwchus o bob un.

2 Gratiwch y caws yn fân a'i gymysgu ag owns (28g) o'r menyn, y persli a digon o bupur a halen. Stwffiwch hwn i mewn i'r pocedi ac yna eu cau efo ffon goctel (neu sgiwer fechan) i wneud yn siŵr nad oes dim o'r stwffin yn dod allan. Os oes croen ar y darnau cig, gallwch lapio hwn yn weddol dynn dros yr agoriad i wneud yn berffaith siŵr na fydd y caws yn dod allan tra bo'n coginio.

3 Toddwch weddill y menyn mewn padell ffrio a rhowch y darnau cyw iâr i ffrio ar wres cymedrol am 3–4 munud bob ochr. Defnyddiwch 2 lwy fwrdd i'w troi drosodd yn ofalus. Trowch y gwres i lawr a ffriwch y cig am tua chwarter awr arall. Gwnewch yn siŵr bod y cig wedi coginio'n drwyadl.

4 Yn y cyfamser, glanhewch y madarch. Poethwch yr olew mewn padell ffrio arall ac yna ychwanegwch y madarch a'u ffrio'n gyflym i'w brownio. Codwch y madarch o'r badell a'u rhoi ar bapur cegin i gael gwared â'r saim.

5 Pliciwch y tomatos (gw. *Plicio tomatos*, pennod *Briwsion*). Torrwch bob tomato yn 6 rhan a thynnwch yr hadau efo llwy de a'u taflu.

6 Codwch y darnau cyw iâr o'r badell yn ofalus a'u rhoi o'r neilltu; tynnwch y pren coctel allan.

7 Tynnwch y badell oddi ar y gwres ac ychwanegwch y stoc neu'r gwin yn raddol gan droi'r gymysgfa a chrafu gwaelod y badell efo llwy bren er mwyn gwneud yn siŵr bod y sudd a'r maeth a ddaeth allan o'r cig yn cael ei gymysgu'n drwyadl yn y saws. Ychwanegwch yr hufen a mwy o bupur a halen os oes angen. Rhowch y badell yn ôl ar y gwres a gadewch i'r saws ffrwtian yn ysgafn i'w dewychu.

8 Rhowch y darnau cyw iâr yn ôl yn y badell ac ychwanegwch y madarch a'r tomatos. Trowch y gwres i lawr a gadewch i'r cyfan gynhesu drwyddo yn araf.

9 Gweinwch gyda ffa Ffrengig ifanc a thatws drwy'u crwyn neu reis.

CYW IÂR MEWN SAWS TOMATO, TARAGON A PHAPRICA

Mae'r pryd yma'n syml a chyflym i'w baratoi a gellir ei gadw'n gynnes am awr neu ddwy heb iddo ddifetha. Fel rheol, mae cig cyw iâr yn gig sych os gweinir ef yn syml. Ond, ar y llaw arall, os caiff ei sleisio a'i weini mewn saws diddorol mae'n gwneud byd o wahaniaeth.

DIGON I 6

5–6 brest cyw iâr heb y croen

sudd 2 lemwn bychan

2 lond llwy de o bupur paprica

un ewin garlleg wedi ei blicio a'i falu

llond llwy fwrdd o daragon ffres wedi ei dorri'n fras neu chwarter llond llwy de o daragon sych

2 owns (55g) o fenyn heb ei halltu

chwarter peint (150ml) o win gwyn sych

12–14 tomato heulsych mewn olew olewydd

hanner peint (285ml) o hufen dwbl

halen

pupur Cayenne

tusw o ddail berwr y gerddi (neu ferwr y dŵr)

1. Sleisiwch y cyw iâr yn stribedi hirgul.

2. Cymysgwch y sudd lemwn, y pupur paprica, y garlleg a'r taragon mewn powlen go fawr i wneud marinâd ac ychwanegwch y cyw iâr. Cymysgwch yn drwyadl. Rhowch orchudd dros y bowlen a'i gadael am awr.

3. Toddwch y menyn mewn padell neu sosban drom, ychwanegwch y cyw iâr a'r marinâd a'u ffrio'n ysgafn am tua 10 munud i frownio'r cig. Dylid ei gymysgu o dro i dro.

4. Hidlwch y tomatos allan o'r olew a'u sleisio'n stribedi hirgul.

5. Codwch y cig o'r badell gyda llwy a thyllau ynddi fel bo'r sudd yn disgyn yn ôl i'r badell. Rhowch y cig o'r neilltu am y tro.

6. Ychwanegwch y gwin at y sudd yn y badell a dewch â'r cyfan yn ôl i'r berw a'i ferwi'n ffyrnig am tua 2 funud i'w dewychu ychydig.

7. Ychwanegwch yr hufen a mudferwi'r saws am 2–3 munud. Bydd angen ei droi yn awr ac yn y man. Ychwanegwch binsiad o bupur Cayenne a halen.

8. Rhowch y cig yn ôl yn y badell gyda'r rhan fwyaf o'r tomatos. Dewch â'r cyfan i'r berw a'i fudferwi'n ofalus am 2 funud. Dylid ei gymysgu o dro i dro.

9. Tywalltwch y cyfan i ddysgl fas ac addurnwch â dail berwr y gerddi wedi eu gosod o amgylch y ddysgl a rhoi gweddill y tomatos yn y canol. Mae tatws newydd neu basta yn addas i'w gweini efo hwn, yn ogystal ag unrhyw lysieuyn gwyrdd.

CLUN CYW IÂR GYDA STWFFIN FFRWYTHAU

DIGON I 4

8 clun cyw iâr heb yr asgwrn

tun 8 owns (225g) o bîn-afal mewn sudd naturiol

owns (28g) o resins

un afal bwyta wedi ei blicio a'i ratio

2 owns (55g) o gnau pistasio heb eu plisg

2 lond llwy de o ddail mintys wedi eu malu

pinsiad o bowdr cwmin

pinsiad o bowdr sinamon

owns (28g) o fenyn

5 llond llwy fwrdd (75ml) o *vermouth* sych neu win gwyn sych

pupur a halen

afal coch a dail mintys i addurno

Popty 200°C | Ffan 180°C | Nwy 6

Y stwffin

1   Hidlwch y pîn-afal gan gadw'r sudd at eto. Torrwch y pîn-afal yn fân a'i gymysgu gyda'r afal a'r resins mewn powlen.

2   Malwch hanner y cnau yn fras. Bydd angen y gweddill i wneud y saws.

3   Cymysgwch y cnau wedi eu malu, y mintys, y cwmin a'r sinamon yn y bowlen gyda'r pîn-afal. Mae'r stwffin rŵan yn barod.

4   Gosodwch y darnau cyw iâr ar 'styllen gyda'r croen at i lawr. Gwasgarwch ychydig o bupur a halen dros y cig.

5   Rhannwch y stwffin yn gyfartal rhwng yr 8 darn cig gan ei osod yng nghanol y glun lle'r oedd yr asgwrn. Dewch ag ymylon y cig at ei gilydd i gau'r stwffin a chlymwch gyda llinyn i wneud 8 parsel taclus (os gosodwch y llinyn ar y 'styllen yn gyntaf cyn gosod y cig arni, mae'n gwneud y gwaith yn haws).

6   Toddwch y menyn mewn padell ffrio a ffriwch y darnau cyw iâr i'w brownio. Rhowch nhw mewn dysgl gaserol, ychwanegwch sudd y pîn-afal, y *vermouth* (neu win) a phupur a halen a choginiwch am dri chwarter awr neu nes bo'r cig yn frau.

7   I wneud y saws, rhowch weddill y cnau mewn prosesydd bwyd i'w malu'n fân. Ychwanegwch yr hylif o'r ddysgl gaserol gyda rhagor o bupur a halen os oes angen. Hylifwch y saws eto am ychydig.

8   Cyn gweini, tynnwch y llinyn oddi ar y cluniau a'u gosod ar blât.

9   Ailboethwch y saws mewn sosban.

10 Addurnwch bob darn o gig efo mintys a sleisen neu ddwy o afal. Codwch lwyaid neu ddwy o saws dros y cig cyn ei weini. Mae reis neu datws newydd cystal â'i gilydd gyda'r pryd yma, ac mae asbaragws yn asio'n dda gyda'r blas hefyd.

CREMPOGAU CYW IÂR A CHORGIMYCHIAID

Pan fyddaf yn paratoi crempogau, weithiau bydd rhai dros ben heb eu bwyta a byddaf yn eu rhewi – dônt yn handi ar gyfer risêt fel hon. Yn groes i'r arfer, byddaf yn defnyddio blawd codi i wneud crempog. Er hynny, blawd plaen y byddaf yn ei roi mewn cytew *Yorkshire pudding*! Od efallai, ond dyna fo…

Y cytew

4 owns (115g) o flawd codi wedi ei ogru

un ŵy wedi ei guro

hanner peint (285ml) o lefrith

Y llenwad

2 owns (55g) o fenyn

2 sibol o slotsyn wedi eu plicio a'u torri (efo siswrn sydd hawsaf)

un ewin garlleg wedi ei blicio a'i falu

owns (28g) o flawd plaen

chwarter peint (140ml) o lefrith

chwarter peint (140ml) o hufen sengl

8 owns (225g) o gorgimychiaid

4 owns (115g) o sbarion cyw iâr wedi eu torri'n ddarnau gweddol fach

llond llwy fwrdd o daragon ffres wedi ei falu neu hanner llond llwy de o daragon sych

4 llond llwy fwrdd o gaws Edam neu Mozzarella wedi ei ratio

owns (28g) o gaws Cheddar wedi ei ratio

pupur du a halen

Popty 150˚C | Ffan 130˚C | Nwy 2

Y crempogau

1   Paratowch 8 o grempogau (heb fod yn rhy denau) gyda'r cytew yn y dull arferol mewn padell ffrio 6–7" (15–18cm), a'u cadw'n gynnes (gw. *Crempogau*, tud. 163)

Y llenwad

2   Toddwch hanner y menyn mewn sosban ac ychwanegwch y slots a'r garlleg a'u ffrio am 2–3 munud.

3   Ychwanegwch y blawd, cymysgwch yn dda a choginiwch am funud neu ddau gan ei droi trwy gydol yr amser.

4   Tynnwch oddi ar y gwres ac ychwanegwch yr hufen a'r llefrith yn raddol.

5   Rhowch y sosban yn ôl ar y gwres a dewch â'r gymysgfa i'r berw gan ofalu ei throi â llwy bren yn gyson, a'i mudferwi am funud.

6   Ychwanegwch y corgimychiaid, y cyw iâr, y taragon a phupur a halen.

7   Rhannwch y llenwad rhwng yr 8 crempog a'u rholio.

8   Gosodwch y crempogau mewn dysgl fas.

9 Rhowch y darnau bach o'r menyn sy'n weddill am eu pennau a gwasgarwch y ddau fath o gaws yn gymysg drostynt.

10 Cynheswch am tua 15 munud yn y popty a gweinwch gyda bara menyn brown a salad.

O.N. Bob tro y byddaf yn paratoi'r pryd hwn, teimlaf fod gormod o'r saws gwyn yn y llenwad. Mae'n drafferthus mesur llai o'i gynhwysion, felly dim ond tua hanner i dri chwarter y saws a baratowyd y byddaf yn ei ychwanegu at y corgimychiaid ac ati.

CASEROL CYW IÂR AC AFALAU

Rhyw fath o stiw arbennig sydd gen i yma. Gallwch ei adael yn y popty ac anghofio amdano bron, ac os digwydd i'r teulu neu'ch ffrindiau fod yn hwyr am eu pryd gallwch ei ailgynhesu.

DIGON I 4

4 chwarter cyw iâr, neu prynwch un cyfan a'i chwarteru

pupur a halen

3 llond llwy fwrdd (45ml) o olew olewydd

2 owns (55g) o fenyn

8 nionyn piclo bychan neu slots wedi eu plicio

2 ewin garlleg wedi eu plicio a'u malu

8 o aeron y ferywen wedi eu malu

7 owns hylifol (200ml) o seidr sych

chwarter peint (140ml) o stoc cyw iâr

8 o afalau bwyta bychain (e.e., Cox) neu 4 o rai mawr

chwarter peint (140ml) o hufen dwbl

Popty 180˚C | Ffan 160˚C | Nwy 4

1   Sgeintiwch bupur a halen dros y cig cyw iâr i gyd.

2   Poethwch yr olew a hanner y menyn mewn padell ffrio fawr ac ychwanegwch y cig a'i ffrio nes y bydd wedi brownio drosto, gan ei droi drosodd fel bo'r angen. Rhowch ar bapur cegin cyn ei drosglwyddo i ddysgl gaserol fawr, ddofn.

3   Rhowch weddill y menyn yn y badell a'i doddi, yna'r nionod, y garlleg ac aeron y ferywen a'u ffrio'n araf am ychydig funudau. Ychwanegwch y seidr a'r stoc a gadewch i'r cyfan fudferwi am 5 munud. Tywalltwch i'r ddysgl gaserol.

4   Paratowch yr afalau trwy dynnu'r galon allan, gan gynnwys y dincod, ond peidiwch â'u plicio. Torrwch yr afalau mawrion yn 4 neu'r rhai bach yn eu hanner.

5   Gosodwch yr afalau o gwmpas y cig yn y ddysgl. Rhowch gaead ar y cyfan a'i roi yn y popty am awr i awr a hanner neu nes y bydd y cig yn frau.

6   Tynnwch y caserol allan o'r popty a thywalltwch yr hufen dros y cig, y nionod a'r afalau. Rhowch ef yn ôl yn y popty am chwarter awr arall heb y caead.

7   Mae cymysgedd o reis basmati a reis gwyllt wedi ei ferwi yn flasus gyda'r saig yma.

HOTPOT COESAU TWRCI A BANANA

Dychmygu gweld aderyn cymaint ag estrys efo wyth o goesau a wnaeth Hywel pan glywodd y risêt yma am y tro cyntaf!

DIGON I 8

2 lond llwy fwrdd (30ml) o olew

12 owns (340g) o nionod wedi eu plicio a'u torri'n fân

un ewin garlleg wedi ei blicio a'i falu

8 coes twrci tua 8 owns (225g) yr un

tri chwarter peint (425ml) o win coch

3 llond llwy de wastad o halen

cwdyn o *bouquet garni*

Y saws

2 lond llwy fwrdd wastad o flawd corn

3 llond llwy fwrdd (45ml) o sieri gweddol sych

2 lond llwy fwrdd wastad o jeli cyrens coch

2 lond llwy de (10ml) o *Worcester sauce*

2 lond llwy de o *ketchup* madarch

2 fanana

Popty 180˚C | Ffan 160˚C | Nwy 4

1 Ffriwch y nionod a'r garlleg yn yr olew mewn padell ffrio fawr nes y byddant yn felyn frown. Codwch y cwbl o'r badell, ei roi ar bapur cegin i gael gwared â'r saim ac yna ar blât.

2 Ffriwch y coesau twrci i'w brownio ac yna eu rhoi mewn dysgl gaserol. Ychwanegwch y nionod a'r garlleg, y gwin, yr halen a'r *bouquet garni*. Rhowch gaead ar y ddysgl a choginiwch am awr a hanner i awr a thri chwarter neu nes bo'r cig yn frau. Taflwch y cwdyn *bouquet garni*.

3 Paratowch y saws. Cymysgwch y sieri'n raddol i'r blawd corn mewn sosban neu badell ffrio fechan ac yna ei droi dros wres isel i'w dewychu. Ychwanegwch y jeli cyrens coch, y *Worcester sauce* a'r *ketchup* madarch. Trowch y gymysgfa â llwy bren nes y bydd y jeli wedi toddi.

4 Sleisiwch y bananas i mewn i'r saws a thywalltwch y cyfan i'r ddysgl gaserol. Os ydych am gael mwy o flas banana gellir stwnsio hanner banana yn drylwyr â fforc a'i ychwanegu at y saws yn y badell cyn ei dywallt i'r ddysgl gaserol. Cymysgwch, ac os oes angen cynheswch y cyfan yn drwyadl yn y popty unwaith yn rhagor. Gweinwch efo colslo a phasta.

Cyw iâr, mango a chnau cashiw

Mae hwn yn addas ar gyfer bwffe neu i ddefnyddio cig cyw sydd dros ben ar ôl rhyw ginio mawr neu achlysur arbennig.

tun 14 owns (400g) o ddarnau mango (nid oes angen y sudd)

5 llond llwy fwrdd helaeth o *mayonnaise*

7 owns (195g) o iogwrt

2 lond llwy de o bowdr cyrri

2 lond llwy fwrdd helaeth o bicl mango

tua 3 phwys (1.35cg) o gig cyw iâr wedi ei rostio'n barod

tua 3 owns (85g) o gnau cashiw (wedi eu halltu neu beidio)

2 sicori

pupur a halen

1 Defnyddiwch 2 ddarn o'r mango ar gyfer y saws. Torrwch y gweddill yn stribedi hirgul a'u rhoi o'r neilltu.

2 I wneud y saws, rhowch y ddau ddarn mango mewn hylifydd gyda'r *mayonnaise*, yr iogwrt, y powdr cyrri, y picl mango a'r pupur a halen. Hylifwch y cyfan nes y bydd yn llyfn.

3 Torrwch y cyw iâr yn ddarnau bach maint brathiad.

4 Cymysgwch y gymysgfa *mayonnaise* gyda'r darnau cyw iâr a hanner y cnau.

5 Gosodwch ddail y sicori o amgylch plât mawr a gosodwch y gymysgfa cyw iâr yn y canol.

6 Addurnwch â'r stribedi mango a roddwyd o'r neilltu ynghyd â'r cnau sydd yn weddill.

Nid yw mango yn duo nac yn newid ei liw os digwydd i chi baratoi pethau ymlaen llaw – cyn belled â'ch bod yn gorchuddio'r cyfan efo *cling film* a'i osod yn yr oergell.

CYW IÂR A THATWS SUR-FELYS

DIGON I 4

3 lemwn

2 owns (55g) o fenyn

3 llond llwy fwrdd o fêl clir

un ewin garlleg wedi ei blicio a'i falu'n fân

4 sbrigyn o rosmari – y dail yn unig

8 coes cyw iâr neu 4 coes a 4 clun

tua phwys a hanner (680g) o datws wedi eu plicio a'u torri'n chwarteri

Popty 200°C | Ffan 180°C | Nwy 6

1 Gwasgwch 2 lemwn a rhowch y sudd mewn sosban fechan gyda'r menyn, y mêl, y garlleg, y dail rhosmari a digon o bupur a halen. Cynheswch y cyfan yn araf nes y bydd y menyn wedi toddi.

2 Gosodwch y darnau cyw iâr ar waelod tun rhostio mawr, bas a rhowch y tatws o'u hamgylch. Diferwch yr hylif lemwn a mêl dros y cyw iâr a'r tatws a throwch y tatws drosodd a throsodd yn y sudd fel bod haenen ohono dros bob un. Torrwch y trydydd lemwn yn 8 darn a'u gwthio i mewn ymysg y tatws.

3 Rhostiwch am 50–60 munud. Bydd angen troi'r darnau cig a'r tatws drosodd unwaith neu ddwy yn ystod y rhostio. Dylai'r cig a'r tatws frownio a chrimpio ychydig erbyn y diwedd. Sicrhewch fod y cig wedi coginio drwyddo, yn frau ac yn dechrau disgyn oddi ar yr asgwrn.

4 Gweinwch gyda salad gwyrdd.

ROULADES TWRCI GYDA STWFFIN CAWS HUFENNOG

4 brest twrci tua 6–8 owns (170–225g) yr un

4 owns (115g) o gaws hufennog

pupur a halen

llond llwy fwrdd o bersli ffres wedi ei falu

owns (28g) o fenyn

4 owns hylifol (115ml) o win gwyn sych neu *vermouth*

Y saws

llond llwy fwrdd o hadau pupur pinc

llond llwy fwrdd o daragon ffres wedi ei falu

llond llwy de o fwstard Ffrengig

chwarter peint (140ml) o hufen dwbl

1 Gosodwch y darnau twrci rhwng dau ddarn o *cling film* neu bapur menyn tamp a'u curo efo rholbren neu forthwyl pren nes eu bod yn eithaf tenau.

2 Cymysgwch y caws hufennog, y pupur a halen a'r persli gyda'i gilydd i wneud stwffin. Taenwch y stwffin dros bob darn o gig cyn eu rholio i fyny'n dynn gyda'r stwffin yn daclus oddi mewn. Gwthiwch ffon goctel bren drwy bob rholyn i'w ddal yn ei le.

3 Toddwch y menyn mewn padell ffrio a ffriwch y rholion cig nes y byddant wedi brownio drostynt. Ychwanegwch y gwin a gadewch iddo fudferwi am tua chwarter awr i ugain munud neu nes y bydd y cig yn barod. Tynnwch y cig o'r badell a'i gadw'n gynnes.

4 I baratoi'r saws, ychwanegwch yr hufen, y pupur pinc a'r mwstard at yr hylif yn y badell a chynheswch y cyfan yn araf rhag i'r hufen geulo. Ychwanegwch bupur a halen a'r taragon.

5 Tynnwch y ffyn coctel o'r cig a sleisiwch bob rholyn yn 4 tafell.

6 Gosodwch 4 tafell o gig ar bob plât a thywalltwch ychydig o saws drostynt cyn eu gweini. Gweinwch gyda llysiau o'ch dewis a gweddill y saws.

FFLAN TWRCI, CENNIN A CHAWS

Defnyddiwch sbarion twrci neu gyw iâr a thameidiau o gaws i wneud hon. Gellir defnyddio ychydig o dameidiau o ham hefyd os oes peth dros ben ar ôl y Nadolig.

DIGON I 6–8

Y crwst caws

6 owns (170g) o flawd codi

3 owns (85g) o fenyn neu fargarîn

2 owns (55g) o gaws Cheddar wedi ei ratio – neu os am flas caws cryfach, defnyddiwch gaws Red Leicester

hanner llond llwy de o bowdr mwstard

pupur du a halen

Y llenwad

10–12 owns (285–340g) o sbarion twrci, cyw iâr neu ham (neu gymysgedd ohonynt) wedi eu sleisio'n denau a heb fod yn ddarnau rhy fawr

pwys (450g) o gennin wedi eu golchi'n drylwyr a'u sleisio'n gylchoedd tenau

2 owns (55g) o fenyn

15 owns hylifol (425ml) o lefrith neu gymysgedd o lefrith ac ychydig o hufen

3 owns (85g) o gaws Cheddar wedi ei ratio

owns (28g) o flawd plaen

pupur du a halen

ychydig o nytmeg wedi ei ratio

un ŵy mawr wedi ei guro

pupur Cayenne

Popty   190°C | Ffan 170°C | Nwy 5

1   Gosodwch dun pobi i boethi yn y popty.

2   I wneud y toes, gogrwch y blawd i bowlen go fawr a rhwbiwch y menyn (neu fargarîn) i mewn iddo nes y bydd yn friwsionllyd. Ychwanegwch y caws, y mwstard a'r pupur a halen a chymysgwch yn drwyadl. Ychwanegwch tua 3 llond llwy fwrdd (45ml) o ddŵr oer a'i gymysgu gyda chyllell nes y bydd wedi troi'n does. Tylinwch y toes am funud neu ddau nes y bydd yn llyfn ac yna ei roi mewn bag plastig a'i adael yn yr oergell am tua hanner awr.

3   I wneud y llenwad, toddwch lond llwy de o'r menyn mewn padell ffrio go fawr. Ychwanegwch y cennin a'u gadael i feddalu dros wres isel am 10–15 munud. Yna, gosodwch gynnwys y badell mewn hidl dros bowlen neu jwg er mwyn casglu unrhyw sudd a ddaw o'r cennin. Cewch ddefnyddio'r sudd yn y saws.

4   Rholiwch y toes allan yn ddigon mawr i leinio tun fflan 10" (25cm). Leiniwch y tun a gofalwch fod y toes yn dilyn ochrau rhychiog y tun (os mai tun felly sydd gennych) ac, yn yr un modd, yn gorwedd yn dynn a gwastad ar waelod y tun. Yna dilynwch y cyfarwyddiadau manwl sydd yn *Crwst fflan*, pennod *Briwsion*, gan hepgor camau (viii) a (ix).

5   Yn y cyfamser, i wneud y saws, toddwch 2 owns (55g) o fenyn mewn sosban, ychwanegwch y blawd a chymysgwch yn dda dros wres isel.

6   Tynnwch y sosban oddi ar y gwres ac ychwanegwch y llefrith yn raddol a'i gymysgu nes y bydd y cyfan yn berffaith llyfn.

7   Rhowch y sosban yn ôl ar y gwres a dewch â'r cyfan yn ôl i'r berw, gan ofalu ei droi â llwy bren drwy gydol yr amser. Ychwanegwch bupur a halen ac ychydig o nytmeg wedi ei ratio, cymysgwch yn dda a'i adael i ffrwtian dros wres isel iawn am 2–3 munud.

8   Gosodwch y cennin yn daclus ar waelod y crwst fflan a ddaeth allan o'r popty. Gosodwch y darnau cig ar ben y cennin.

9   Ychwanegwch y sudd a ddaeth allan o'r cennin at y saws a chymysgwch yn dda. Ychwanegwch yr ŵy wedi ei guro a thri chwarter y caws a'i gymysgu'n drwyadl, cyn ei dywallt yn ofalus dros y cig a'r cennin yn y fflan. Gwasgarwch y caws sy'n weddill dros y cyfan ac yna sgeintiwch ychydig o bupur Cayenne drosto.

10 Gosodwch y fflan ar y tun pobi yn y popty a phobwch am 25–30 munud. Gweinwch yn gynnes gyda salad.

Pysgod

Mae'n rhaid i bysgodyn, i fod yn flasus, nofio dair gwaith
– mewn dŵr, mewn menyn ac mewn gwin.

Dihareb o wlad Pwyl (Dewi Jones, *Fesul Tamaid*)

CORGIMWCH MEWN CORNEDAU BRITHYLL

DIGON I 4

8 owns (225g) o gorgimychiaid

2 wynnwy

hanner peint (285ml) o hufen dwbl

pupur a halen

4 ffiled o frithyll heb y croen

8 corbwmpen – rhai bychain, cul tua 4" (10cm) o hyd

Y saws

3 llond llwy fwrdd (45ml) o finegr gwin gwyn

3 llond llwy fwrdd (45ml) o ddŵr

3 llond llwy fwrdd o slots wedi eu torri'n fân

pupur a halen

2 lond llwy fwrdd (30ml) o hufen dwbl

4 owns (115g) o fenyn clir, gweddol feddal

tomato mawr aeddfed wedi ei blicio (gw. *Plicio tomatos*, pennod *Briwsion*), heb hadau ac wedi ei dorri'n giwbiau bach

tusw bach o orthyfail (*chervil*) – torrwch y dail yn fras

Popty 190°C | Ffan 170°C | Nwy 5

1   Rhowch y corgimychiaid mewn hylifydd gyda'r ddau wynnwy a'r hufen a'u hylifo nes y byddant yn dew a hufennog. Gofalwch beidio â gor-hylifo rhag i'r hufen geulo. Ychwanegwch y pupur a'r halen. Gwthiwch y gymysgfa drwy ogr mân ac yna rhowch mewn cwdyn peipio gyda thrwyn mawr siâp seren iddo.

2   Rholiwch y brithyll i fyny i wneud 4 corned. Gwthiwch ffon goctel drwyddynt i'w cadw yn eu lle. Peipiwch beth o'r gymysgfa corgimwch i mewn i bob corned. Poethwch y popty.

3   Gosodwch y cyfan, sef y cornedau brithyll a'r 8 corbwmpen, yn ofalus mewn dysgl fawr, gweddol fas, wedi ei hiro. Gorchuddiwch â ffoil.

4   Coginiwch y cornedau brithyll a'r corbwmpenni yn eu dysgl o dan eu gorchudd am chwarter awr. Tynnwch y gorchudd i ffwrdd a throwch y gwres i fyny i 200°C (Ffan 180°C, Nwy 6) a choginiwch am chwarter awr arall. Gofalwch nad yw'r pysgod yn sychu gormod – rhowch y gorchudd yn ôl os oes perygl i hyn ddigwydd.

5   Tra bydd y cornedau yn y popty, paratowch y saws. Rhowch y finegr, y dŵr, y slots a'r pupur a'r halen mewn sosban fechan a'u berwi dros wres isel nes y bydd dim ond llond llwy fwrdd (15ml) o hylif ar ôl yn y sosban. Ychwanegwch yr hufen a churwch y menyn i mewn fesul tamaid bach. Hidlwch y saws a'i gadw'n gynnes.

6   Ychwanegwch y tomato a'r dail gorthyfail at y saws.

7 Gosodwch un corned brithyll ar bob plât a thywalltwch ychydig o'r saws fesul llwyaid dros big y corned. Gosodwch 2 gorbwmpen ar bob plât hefyd a gweinwch ar unwaith.

O.N. Os gwelwch nad yw'r cornedau brithyll yn cadw eu siâp, rhowch nhw yn y rhewgell i rewi cyn eu llenwi!

PÂTÉ BRITHYLL WEDI EI FYGU A CHIWCYMBR

Digon i 8

un ciwcymbr

4 brithyll mawr wedi eu mygu

tri chwarter peint (425ml) o hufen dwbl

sudd un lemwn

llond llwy fwrdd o ruddygl poeth (*horseradish*) wedi
  ei hufennu

pupur a halen

olew salad

1   Pliciwch y ciwcymbr ond peidiwch â thaflu'r
    croen. Sleisiwch y ciwcymbr yn gylchoedd tenau
    ac yna sgeintiwch halen drostynt a'u gadael am
    tua hanner awr (gw. *Ciwcymbr mewn halen,* pennod
    Briwsion).

2   Tynnwch y croen oddi ar y pysgod. Tynnwch yr
    esgyrn a'u taflu. Malwch gig y pysgod yn ddarnau
    mân mewn powlen.

3   Chwisgiwch yr hufen nes y bydd wedi
    tewychu'n weddol a'i gymysgu gyda'r brithyll.
    Ychwanegwch y sudd lemwn, y rhuddygl poeth
    a phupur a halen a chymysgwch eto. Dyma'r *pâté*
    wedi ei baratoi.

4   Gosodwch y *pâté* ar blât mawr ar ffurf pysgodyn,
    neu gallwch baratoi'r *pâté* mewn tun siâp
    pysgodyn.

5   Golchwch y sleisiau ciwcymbr a'u sychu ar
    liain papur. Gosodwch nhw dros y *pâté* fel
    cen pysgodyn. Defnyddiwch dipyn o groen y
    ciwcymbr i ffurfio'r gynffon, yr esgyll a'r llygad.

6   Brwsiwch olew yn ysgafn dros y ciwcymbr.

7   Os mynnwch, anghofiwch am y ciwcymbr a
    lapiwch lwyaid o'r *pâté* yn ofalus mewn sleisen
    o eog wedi ei fygu. Clymwch genhinen syfi o'i
    amgylch fel parsel a gosodwch un ar bob plât.
    Peintiwch bob parsel efo olew cnau Ffrengig nes y
    byddant yn sgleinio ac addurnwch y plât â berwr
    dŵr neu ddail bach o galon letysen. Bwytewch
    gyda thost.

BRITHYLL GYDA SAWS MADARCH A GRAWN PUPUR GWYRDD

2 frithyll cyfan wedi eu ffiledu (h.y., 4 ffiled)

hanner owns (15g) o fenyn

4 owns (115g) o fadarch bach wedi eu haneru

grawn pupur du newydd eu malu

traean peint (190ml) o stoc cyw iâr neu lysiau

llond llwy fwrdd (15ml) o sudd lemwn

sbrigyn o dil

un ddeilen llawryf

llond llwy de o rawn pupur gwyrdd

2 owns (55g) o gaws Philadelphia

diferion o saws *tabasco*

1 Cynheswch y menyn mewn padell ffrio a ffriwch y madarch am 2–3 munud. Ychwanegwch bupur du. Codwch y madarch o'r badell a'u cadw'n boeth.

2 Rhowch y stoc, y sudd lemwn, y dil a'r ddeilen llawryf yn y badell. Dewch â'r cyfan i'r berw ac yna gosodwch y ffiledau brithyll ynddo yn ofalus. Gadewch i'r ffiledau goginio yn yr hylif am 4 munud.

3 Codwch y ffiledau brithyll o'r hylif yn ofalus gyda chymorth llwy dyllog a sleis bysgod. Gallwch dynnu'r croen oddi ar bob ffiled os mynnwch. Cadwch y pysgod yn boeth tra byddwch yn paratoi'r saws.

4 I wneud y saws, dewch â'r hylif sydd ar ôl yn y badell i'r berw a'i ferwi nes y bydd dim ond traean ohono ar ôl. Tynnwch y badell oddi ar y gwres. Ychwanegwch y grawn pupur gwyrdd a chwisgiwch y caws Philadelphia i mewn i'r saws. Ychwanegwch 3–4 diferyn o'r *tabasco* a chynheswch y saws yn drwyadl. Gweinwch y saws gyda'r pysgodyn a gwasgarwch y madarch dros y cwbl.

CEJERI

pwys a hanner i ddeubwys (680–900g) o hadog melyn

ychydig o bersli gan gynnwys y coesau

un ddeilen llawryf

un lemwn

ychydig o bupur du

2 owns (55g) o fenyn

8 owns (225g) o reis grawn hir

un nionyn bychan wedi ei dorri'n fân

2 ŵy wedi eu berwi'n galed

1   Torrwch yr hadog melyn yn ddarnau gweddol fawr a'u rhoi mewn sosban fawr â digon o ddŵr oer i'w gorchuddio (tua pheint a hanner, 850ml).

2   Ychwanegwch goesau'r persli, y ddeilen llawryf, hanner y lemwn wedi ei sleisio ac ychydig o bupur du.

3   Dewch â'r cyfan i'r berw, trowch y gwres i lawr a'i fudferwi am tua 10–15 munud neu nes bo'r pysgodyn yn frau. Hidlwch, ond cadwch beint (570ml) o'r stoc o'r neilltu. Rhowch yr hadog melyn ar blât am y tro. Taflwch bopeth arall. Golchwch y sosban.

4   Toddwch owns (28g) o'r menyn yn y sosban dros wres isel. Ychwanegwch y nionyn a'i ffrio'n araf am 5 munud nes y bydd wedi meddalu ond heb frownio.

5   Ychwanegwch y reis a chymysgwch yn drwyadl.

6   Profwch y stoc a gadwyd ac ychwanegwch halen os oes ei angen. Tywalltwch i'r sosban at y reis. Dewch â'r cyfan i'r berw, rhowch gaead ar y sosban a'i fudferwi nes y bydd y reis yn barod (10–15 munud). Os bydd hylif ar ôl, hidlwch i gael ei wared.

7   Yn y cyfamser, tynnwch yr esgyrn o'r pysgodyn a'i wahanu gyda fforc yn ddarnau llai. Ychwanegwch hwn at y reis yn y sosban a'i gymysgu'n ofalus.

8   Pliciwch a thorrwch yr wyau'n chwarteri. Defnyddiwch fforc i'w plygu i mewn i'r reis gydag ychydig o bupur du, gweddill y menyn wedi ei dorri'n ddarnau mân ac ychydig o sudd lemwn. Gweinwch yn boeth iawn gyda phersli mân wedi ei wasgaru drosto i'w addurno.

EOG MEWN SAWS COCONYT A CHYRRI

Dyma bryd sy'n hawdd i'w baratoi mewn dim o dro. Mae'n rhoi blas gwahanol iawn i'r dulliau mwy arferol o baratoi'r darnau o eog sydd i'w cael yn gyffredin iawn erbyn hyn yn y siopau mawr.

DIGON I 4

4 darn o eog (tua 4 owns, 115g yr un)

llond llwy fwrdd (15ml) o olew olewydd

un nionyn coch wedi ei sleisio'n gylchoedd tenau

2 lond llwy fwrdd o bâst cyrri *tikka masala*

tun 400ml o laeth coconyt

sudd hanner leim

ychydig o ddail coriander wedi eu malu'n fras

1   Poethwch yr olew mewn padell ffrio. Ychwanegwch y nionyn coch a'i ffrio dros wres cymedrol am tua 10 munud i'w feddalu a'i frownio ychydig.

2   Ychwanegwch y pâst cyrri a'i gymysgu â llwy bren am funud neu ddau. Ychwanegwch y darnau eog a'u coginio am tua 2 funud bob ochr. Erbyn hyn fe welwch fod peth o'r nionod a'r saws wedi glynu yn y pysgod.

3   Tywalltwch y llaeth coconyt i'r badell, gadewch iddo ddod i'r berw ac yna ei fudferwi am tua 5 munud neu nes y bydd yr eog wedi coginio drwyddo. Codwch y saws dros yr eog bob yn hyn a hyn gyda llwy fwrdd.

4   Ychwanegwch y sudd leim a chymysgu'r cyfan. Gwasgarwch y coriander dros y cyfan a gweinwch gyda reis a phys.

O.N. Bydd llawer o'r pâst cyrri dros ben gennych yn y potyn. Na phoenwch, gallwch ei gadw yn yr oergell am 6 mis ar ôl ei agor – esgus i gael pryd arall o eog cyrri yn awr ac yn y man!

Eog gyda saws berwr dŵr a chennin

4 golwyth eog tua 5 owns (140g) yr un

4 llond llwy fwrdd (60ml) o win gwyn sych

6 llond llwy fwrdd (90ml) o ddŵr

ychydig o lemwn a berwr dŵr i addurno

Y saws

2 lond llwy de o fargarîn

6 owns (170g) o gennin wedi eu sleisio'n denau

2 owns (55g) o ferwr dŵr wedi ei falu'n fras

4 llond llwy fwrdd (60ml) o ddŵr

2 lond llwy fwrdd (30ml) o hufen sengl

2 lond llwy de (10ml) o sudd lemwn

1 Toddwch y margarîn mewn sosban ac yna ychwanegwch y cennin a'i ffrio am 4 munud. Dylid ei symud o gwmpas yn y badell drwy'r adeg rhag iddo frownio gormod.

2 Ychwanegwch y berwr dŵr a'i ffrio fel y cennin am funud neu ddau arall. Ychwanegwch y dŵr, rhowch gaead ar y sosban a'i fudferwi am chwarter awr.

3 Tywalltwch y cyfan i'r hylifydd, ychwanegwch yr hufen a'r sudd lemwn a hylifwch nes y bydd yn llyfn. Cadwch y saws o'r neilltu tra byddwch yn paratoi'r eog.

4 Rhowch yr eog mewn padell ffrio sy'n ddigon mawr i ddal y 4 golwyth. Ychwanegwch y gwin a'r dŵr, rhowch gaead ar y badell a'i fudferwi dros wres isel iawn am 8–10 munud. Tynnwch yr eog allan o'r hylif yn ofalus a'i gadw'n gynnes.

5 Cynheswch yr hylif sy'n y badell a'i ferwi'n ffyrnig i adael dim ond rhyw 4 llond llwy fwrdd (60ml) ohono ar ôl.

6 Tywalltwch gynnwys yr hylifydd i'r badell, cymysgwch y cyfan yn dda a'i ailgynhesu dros wres cymedrol gan ofalu ei droi drwy'r adeg. Ychwanegwch bupur a halen.

7 Gosodwch yr eog ar blât a'i addurno â berwr dŵr a lemwn.

8 Dylid gweini'r saws ar wahân. Mae corbwmpenni wedi eu sleisio a'u ffrio am ychydig, neu unrhyw lysieuyn gwyrdd, yn siwtio i'r dim efo'r pryd yma, yn ogystal â thatws newydd.

Sbageti eog, hufen a tharagon

Pryd hawdd, buan a blasus. Defnyddiwch daragon ffres yn hytrach na'r un wedi ei sychu. Mae'r pecynnau a werthir yn yr archfarchnadoedd yn gwneud i'r dim. Defnyddiwch y dail yn unig a'u malu'n fras.

Digon i 2

golwyth o eog yn pwyso tua 6 owns (170g)

llond llwy bwdin (10ml) o olew olewydd

2 lond llwy fwrdd o daragon ffres wedi ei falu

4 owns hylifol (115ml) o hufen sengl

3 llond llwy fwrdd (45ml) o win gwyn

6–8 owns (170–225g) o sbageti

llond llwy de (5ml) o olew i'r sbageti

1 Tynnwch y croen a'r esgyrn mwyaf oddi ar y pysgodyn. Torrwch yr eog yn 6 darn.

2 Ffriwch y darnau eog yn araf am funud neu ddau mewn llond llwy bwdin o olew (10ml) mewn padell ffrio weddol fawr. Yna tynnwch y badell oddi ar y gwres a rhowch yr eog ar blât a'i dorri'n ddarnau llai. Yma gallwch dynnu unrhyw esgyrn eraill a ddaeth i'r golwg.

3 Rhowch yr eog yn ôl yn y badell. Ychwanegwch y llefrith a'r gwin a'i fudferwi am tua 4 munud – yn ofalus, rhag i'r eog falu'n ddarnau llai.

4 Yn y cyfamser, rhowch y sbageti i ferwi mewn digon o ddŵr berwedig wedi ei halltu sydd hefyd yn cynnwys llond llwy de o olew, nes y bydd yn barod (8–10 munud). Hidlwch y sbageti, tywalltwch ddŵr berw drwyddo a'i hidlo'n dda eto. Rhowch yn ôl yn y sosban a thywalltwch yr eog a'r saws drosto. Rhannwch rhwng 2 blât wedi eu cynhesu a gweinwch ar unwaith.

QUICHE EOG AC ASBARAGWS

6 owns (170g) o does crwst brau parod (neu dilynwch y dull yn *Quiche madarch a nionod*, tud. 122)

tun bach 12 owns (340g) o asbaragws

tun mawr pwys (450g) o eog pinc heb y croen a'r esgyrn na'r hylif

owns (28g) o gaws Double Gloucester neu Parmesan wedi ei ratio

2 ŵy mawr

hanner peint (285ml) o hufen sengl

pupur du a halen

Popty 180°C | Ffan 160°C | Nwy 4

1   Poethwch y popty a rhowch dun pobi i boethi hefyd – mae hyn yn sicrhau bod gwaelod y *quiche* yn crasu'n iawn.

2   Rholiwch y toes allan a leinio tun fflan 9" (23cm) efo fo. Gofalwch fod y toes yn dilyn ochrau rhychiog y tun (os mai tun felly sydd gennych) ac yn yr un modd yn gorwedd yn dynn a gwastad ar waelod y tun. Yna dilynwch y cyfarwyddiadau manwl sydd yn *Crwst fflan* ym mhennod *Briwsion*.

3   I baratoi'r llenwad, torrwch yr asbaragws yn ddarnau tua 2" (5cm) o hyd. Rhannwch yr eog yn ddarnau llai. Yna gosodwch y ddau gynhwysyn yn daclus yn y crwst fflan.

4   Curwch yr wyau, yr hufen a phupur a halen efo'i gilydd. Ychwanegwch y caws a'i gymysgu a thywalltwch y cyfan dros yr eog a'r asbaragws.

5   Rholiwch weddillion y toes allan (os oes peth) a thorrwch stribedi cul ohono i wneud patrwm criscroes ar ben y llenwad. Gellir glynu'r stribedi yn yr ymylon gydag ychydig o ŵy wedi ei guro.

6   Gosodwch y tun fflan ar y tun pobi poeth a phobwch ar yr un gwres am tua 35–40 munud neu nes y bydd wedi setio a brownio (gw. *Cwstard wedi setio*, pennod *Briwsion*).

CHOWDER HADOG MELYN

llond llwy de o fargarîn

un nionyn wedi ei dorri'n fân

darn 4 owns (115g) o daten wedi ei dorri'n giwbiau
bychain

peint (570ml) o lefrith

13 owns (370g) o hadog (neu benfras) wedi ei fygu

un ddeilen llawryf

pupur – a halen os bydd angen

2 lond llwy fwrdd o bersli wedi ei falu'n fân

1   Toddwch y margarîn mewn sosban ac yna
    ychwanegwch y nionyn a'i ffrio am 3 munud.

2   Ychwanegwch y daten a'r llefrith, y pysgodyn a'r
    ddeilen llawryf. Rhowch gaead ar y sosban a'i
    fudferwi am tua chwarter awr neu nes y bydd y
    daten yn barod.

3   Tynnwch y ddeilen allan a'i thaflu. Codwch y
    pysgodyn o'r sosban yn ofalus a'i roi ar blât.
    Tynnwch groen ac esgyrn y pysgodyn oddi
    arno a'u taflu. Malwch y pysgodyn yn ddarnau
    gweddol fawr efo fforc.

4   Tywalltwch gynnwys y sosban i hylifydd (gan
    ofalu nad oes esgyrn ynddo) ac ychwanegwch tua
    hanner y pysgodyn a'i hylifo nes y bydd yn llyfn.

5   Tywalltwch yr hylif yn ôl i'r sosban ac
    ychwanegwch bupur (a halen os bydd angen).

6   Ychwanegwch weddill y pysgodyn a'r persli a
    dewch â'r cyfan i'r berw. Dylid ei droi'n ofalus
    drwy'r adeg.

7   Gweinwch mewn dysglau cynnes.

CREGYN BYLCHOG

DIGON I 4

cig 12 o gregyn bylchog mawr
darnau bach o fenyn neu fargarîn
un ŵy wedi ei guro
briwsion bara crimp
un lemwn wedi ei sleisio
berwr dŵr

Popty 190°C | Ffan 170°C | Nwy 5

1 Y gragen fylchog yw arwyddnod y cwmni Shell. Mae dau ddarn o'r anifail yn addas i'w bwyta sef y cig gwyn, crwn sy'n dal dau hanner y gragen efo'i gilydd a'r darn siâp cryman coch a gwyn sy'n cynnwys yr wyau, sydd ynghlwm wrtho. Gellir eu prynu wedi eu paratoi ar eich cyfer, un ai'n ffres neu wedi eu rhewi. Golchwch y cig yn dda mewn dŵr oer (os ydynt wedi eu rhewi, gofalwch eu dadmer yn drylwyr yn gyntaf). Mae cornel fechan, galed yn y cig gwyn ac mae llawer un yn torri'r darn bach yma i ffwrdd gan fod gwaith cnoi arno.

2 I'w goginio a'u gweini, bydd angen 4 cragen fawr arnoch – yr haneri ceugrwm (*concave*) – i'w defnyddio fel dysglau. Gall gwerthwyr pysgod da gael gafael ar gregyn i chi. Golchwch y cregyn yn dda a'u sgwrio i'w cael yn berffaith lân. Os nad oes gennych gregyn mawr eisoes, neu ddysglau potyn ar ffurf cragen fylchog, defnyddiwch ddysglau bach bas addas.

3 Irwch y tu mewn i'r cregyn neu'r dysglau gyda menyn neu fargarîn.

4 Trochwch y cig pysgod yn yr ŵy, eu gorchuddio'n dda â'r briwsion ac yna eu rhoi fesul tri ymhob cragen. Gosodwch dameidiau bach o fenyn arnynt i arbed iddynt sychu.

5 Dodwch y cregyn ar dun pobi a choginiwch am 20–30 munud (mae'n dibynnu ar faint y pysgod ond fel rheol mae 20 munud yn ddigon).

6 Addurnwch â berwr dŵr a lemwn cyn eu rhoi ar y bwrdd a chynigiwch fara menyn brown wedi ei sleisio'n denau.

PASTAI BYSGOD

Clirio'r rhewgell yr oeddwn i ar ôl y Nadolig, a chanfod tipyn o'r peth yma a thipyn o'r peth arall, a dyma gyfuno'r cyfan i wneud pastai. Defnyddiwch hadog melyn yn hytrach na'r penfras wedi ei fygu os gallwch – mae ansawdd a blas gwell arno yn fy nhyb i.

DIGON I 4

pwys a hanner (680g) o hadog neu benfras wedi ei fygu

2 ŵy wedi eu berwi'n galed a'u malu'n fras

un nionyn bychan wedi ei dorri'n weddol fân

3–4 owns (85–115g) o gorgimychiaid

2–3 owns (55–85g) o bys wedi eu berwi

ychydig o sudd lemwn

pupur a halen

hanner llond llwy de o fwstard parod

3 owns (85g) o gaws Red Leicester, neu Cheddar, wedi ei ratio

peint (570ml) o lefrith

owns a hanner (40g) o flawd plaen

owns a hanner (40g) o fargarîn

2 bwys (900g) o datws wedi eu berwi a'u stwnsio efo 2 owns (55g) o fargarîn

Popty 190°C | Ffan 170°C | Nwy 5

1 Rhowch yr hadog melyn mewn padell ffrio go fawr, ychwanegwch ddigon o'r llefrith i'w orchuddio a dewch â'r cyfan i'r berw. Mudferwch am 6–8 munud neu nes y bydd y pysgodyn yn barod. Codwch yr hadog allan a'i roi ar blât a thywalltwch yr hylif o'r badell i jwg a'i roi o'r neilltu am y tro.

2 Tynnwch groen ac esgyrn yr hadog oddi arno a'u taflu. Torrwch neu gwahanwch yr hadog yn ddarnau digon bychain i'w bwyta.

3 Irwch ddysgl 2 beint (1.14 litr) sy'n addas ar gyfer gwres popty a rhowch y tameidiau hadog i mewn ynddi. Ychwanegwch yr wyau wedi eu berwi a'u malu.

4 Ffriwch y nionyn mewn ychydig o fenyn i'w feddalu. Ychwanegwch at y pysgodyn a'r wyau.

5 Ychwanegwch y corgimychiaid, y pupur a halen, y sudd lemwn a'r pys.

6 Paratowch saws caws yn y dull *roux* (gw. pennod *Briwsion*) trwy doddi'r owns a hanner o fargarîn mewn sosban, ychwanegu'r blawd a chymysgu'n dda. Coginiwch dros wres isel am funud neu ddau gan ofalu ei droi â llwy bren trwy gydol yr amser rhag iddo lynu yng ngwaelod y sosban. Tynnwch y sosban oddi ar y gwres ac, yn raddol, ychwanegwch yr hylif a gadwyd o'r neilltu ar ôl berwi'r hadog. Ychwanegwch weddill y llefrith, rhowch y sosban yn ôl ar y gwres a dod â'r cynnwys yn ôl i'r berw gan ofalu ei droi drwy gydol yr amser. Dylai'r saws fod ychydig yn dewach na chwstard, ond os yw ychydig yn rhy dew ychwanegwch ragor o lefrith. Ychwanegwch

dri chwarter y caws wedi ei ratio a'i gymysgu'n drwyadl cyn tywallt y saws dros y cwbl. Cymysgwch y cyfan yn ofalus.

7   Sychwch o amgylch ymyl y ddysgl ac yna peipiwch y tatws dros y cyfan – neu gosodwch y stwnsh tatws yn ofalus dros y cyfan a'i farcio â fforc.

8   Gwasgarwch weddill y caws wedi ei ratio dros y bastai a choginiwch am 20–30 munud neu nes y bydd y cyfan yn boeth a'r tatws a'r caws wedi brownio. Gweinwch fel y mae – mae'n bryd ynddo'i hun.

Pastai bysgod mewn crwst

pecyn tua 13 owns (375g) o does crwst pwff wedi ei rolio allan yn barod

tun eog gweddol fawr – dylai fod gennych tua 8 owns (225g) o bysgodyn ar ôl ei hidlo (cadwch yr hylif i deneuo'r saws os bydd angen)

un ŵy wedi ei ferwi'n galed a'i dorri'n fân (os mynnwch)

un ŵy wedi ei guro

Saws persli

owns (28g) o flawd plaen

owns (28g) o fenyn neu fargarîn

pupur a halen

llond llwy de neu ddwy o bersli wedi ei falu'n fân

hanner peint (285ml) o lefrith

Popty   220°C | Ffan 200°C | Nwy 7

Y saws persli

1   Toddwch y menyn neu'r margarîn mewn sosban fach. Tynnwch oddi ar y gwres ac ychwanegwch y blawd. Trowch a chymysgwch yn dda â llwy bren. Dyma'r *roux* (gw. *Roux*, pennod *Briwsion*).

2   Rhowch y *roux* yn ôl ar y gwres a choginiwch am 2–3 munud gan droi'r gymysgfa drwy'r amser efo llwy bren.

3   Tynnwch oddi ar y gwres eto, a chan droi y *roux* yn araf ychwanegwch y llefrith, ychydig ar y tro.

4   Dewch â'r saws i'r berw gan ofalu ei droi trwy gydol yr amser. Trowch y gwres i lawr ond parhewch i goginio ac i droi'r saws am tua 3 munud. Ychwanegwch bupur a halen a'r persli a'u cymysgu. Defnyddiwch y saws gyda'r eog fel y disgrifir isod.

Y bastai

5   Malwch yr eog yn fras â fforc mewn powlen go fawr ac ychwanegwch yr ŵy wedi ei falu (os ydych am ei ddefnyddio), pupur a halen a digon o'r saws persli i wneud llenwad eithaf llaith. Cymysgwch y cyfan yn drylwyr ond yn ofalus rhag malu'r eog yn ormodol. Rhowch o'r neilltu i oeri gan y bydd yn haws ei drin ar y toes.

6   Rholiwch a thorrwch y toes yn sgwâr 10" (25cm). Cadwch unrhyw dameidiau o does sy'n sbâr i addurno'r bastai. Gosodwch y sgwâr o does ar dun pobi ac yna gosodwch y llenwad ar ei ganol.

7   Gwlychwch ymylon y toes, dewch â'r pedair cornel i'r canol, fel amlen, a'u selio'n dda gan ffurfio ymylon rhychiog. Sgleiniwch wyneb y toes â'r ŵy wedi ei guro.

8   Ffurfiwch 'ddail' o weddillion y toes a'u trefnu'n daclus ar ben y bastai ac yna eu sgleinio hwythau â'r ŵy wedi ei guro.

9   Pobwch am tua 40 munud. Gweinwch gyda salad neu lysiau.

Swper tiwna

Gall y plant baratoi hwn yn ddigon hawdd ond rhowch help i'r rhai lleiaf gyda'r grilio ac wrth agor y tuniau.

2 dun tiwna 7 owns (195g) yr un

ychydig o sudd lemwn

2 lond llwy fwrdd o sôs tomato

3 llond llwy fwrdd o *créme fraîche*

llond llwy fwrdd o bersli ffres wedi ei falu (os mynnwch)

4 myffin (mewn pecyn o 4 yn yr archfarchnad – nid y cacennau, sylwer; gw. y llun)

8 sleisen o gaws go gryf (fel caws Red Leicester)

1 Hidlwch y tiwna i gael gwared ar yr hylif. Rhowch y tiwna mewn powlen, ychwanegwch y sudd lemwn – rhyw wasgiad neu ddau – a chymysgwch gyda fforc. Wrth wneud hyn, peidiwch â malu'r tiwna'n ormodol. Ychwanegwch y sôs tomato a'r *créme fraîche* a'u plygu i mewn yn ofalus gyda llwy fwrdd. Ychwanegwch bupur a halen – a phersli os mynnwch.

2 Rhowch y gril i boethi. Sleisiwch y 4 myffin yn eu hanner a'u tostio nes y byddant yn frown golau. Nid oes angen eu troi drosodd i'w tostio ar yr ochr arall. Yna gosodwch y gymysgfa tiwna yn gyfartal dros bob hanner myffin ar yr wyneb a dostiwyd.

3 Gosodwch sleisen o gaws am ben y tiwna a'u rhoi i gyd yn ôl o dan y gril nes y bydd y caws wedi toddi a brownio ychydig. Bwytewch ar unwaith gydag ychydig o salad. Os na fyddant yn ddigon poeth i chi, rhowch yn y popty gwyllt (*microwave*) nes y byddant at eich dant.

Prydau llysieuol

Llysieuwyr

Mae'n dda cael y bobl bwyd cwningen,
A'u bwriad i achub y byd,
Ond os cân nhw 'run llwyddiant â'r gwningen
Fydd na'm digon o le i ni i gyd!

John Wyn Jones

(*Pigion Talwrn y Beirdd 8,* gol. Gerallt Lloyd Owen)

Cawl pys a letys gyda hufen lemwn ⓛ

Er yr holl gynllunio gofalus, rydym wedi tyfu gormod o letys eto eleni – neu o leiaf mae gormod yn barod efo'i gilydd! Felly dyma feddwl am gawl ychydig yn wahanol i wneud defnydd o'r cynhaeaf. Gellir ei fwyta'n boeth neu'n oer ond efallai y bydd angen ychwanegu mwy o ddŵr neu stoc at y cawl oer os bydd yn rhy dew.

I WNEUD 3 PHEINT / 1.7 LITR

3 owns a hanner (100g) o fenyn neu fargarîn

croen un lemwn wedi ei blicio (ceisiwch ei gadw'n un darn)

2 lond llwy fwrdd (30ml) o sudd lemwn

un ddeilen llawryf

3 owns (85g) o nionyn wedi ei dorri'n fân

pwys a 10 owns (735g) o bys o'r rhewgell (rhai cyffredin neu *petits pois*)

5 owns (140g) o ddail letys wedi eu golchi a'u sychu a'u sleisio'n fân

hanner llond llwy de wastad o siwgr mân

llond llwy de wastad o gymysgedd o halen a phupur du

Yr hufen lemwn

twb chwarter peint (140ml) o hufen dwbl

7 owns (200g) o bys o'r rhewgell wedi eu berwi am 5 munud a'u hidlo

croen un lemwn wedi ei ratio'n fân

llond llwy fwrdd (15ml) o sudd lemwn

stribedi cul o groen lemwn i addurno

1   Toddwch y menyn neu'r margarîn mewn sosban fawr.

2   Clymwch y ddeilen llawryf yn y croen lemwn ac ychwanegwch, gyda'r nionyn, at y menyn yn y sosban. Rhowch y sosban ar wres isel am tua 10 munud nes y bydd y nionyn wedi brownio ychydig a meddalu. Ychwanegwch y pys, y letys, y siwgr a'r pupur a halen a chymysgwch yn drwyadl fel bo'r cyfan wedi ei drwytho efo'r menyn.

3   Ychwanegwch beint a hanner (850ml) o ddŵr berwedig a chymysgwch y cyfan yn dda. Dewch â'r sosbanaid yn ôl i'r berw ac yna ei fudferwi am 10 munud i feddalu'r pys.

4   Tynnwch y sosban oddi ar y gwres a thynnwch y 'parsel' croen lemwn a deilen llawryf allan a'i daflu. Gadewch i'r cawl oeri ychydig cyn ei dywallt i hylifydd. Hylifwch nes y bydd yn llyfn ac yna ychwanegwch y sudd lemwn a'i gymysgu.

5   *Yr hufen lemwn.* Cynheswch yr hufen yn araf mewn sosban fechan a gadewch iddo brin ffrwtian (rhag iddo geulo) am 5 munud. Ychwanegwch y pys a'r croen lemwn wedi ei ratio, ac ychydig o

bupur a halen, a'i brin fudferwi eto am 2 funud. Ychwanegwch y sudd lemwn a chymysgwch yn drwyadl.

6   Ailgynheswch y cawl a thywalltwch i'ch dysglau. Diferwch yr hufen lemwn dros wyneb bob un. Addurnwch â'r stribedi croen lemwn.

• •

CAWL CYRRI TATWS MELYS 🟦LI

DIGON I 4

llond llwy fwrdd (15ml) o olew llysieuol

un nionyn canolig wedi ei dorri'n fân

3 ewin garlleg wedi eu gwasgu neu eu malu

2 lond llwy fwrdd o bâst cyrri (Patak sydd orau gen i)

2 daten felys fawr wedi eu plicio, neu eu sgwrio'n lân, a'u torri'n ddarnau bras

corbwmpen wedi ei thorri'n fân

4 tomato wedi eu torri'n fân

peint a thri chwarter (1 litr) o stoc llysiau

un fanana fawr wedi ei phlicio a'i sleisio'n gylchoedd

dail coriander i addurno

2 ddarn o fara *naan*

1   Poethwch yr olew mewn padell (neu sosban) fawr a ffriwch y nionod am 3 munud i'w meddalu. Ychwanegwch y garlleg a ffrio'r cyfan am 2–3 munud eto. Ychwanegwch y pâst cyrri.

7   Os dymunwch rewi'r cawl, gwnewch hynny ar ôl cam 5 uchod. Parhewch gyda cham 6 ar ôl ei ddadmer mewn lle gweddol oer dros nos.

Cymysgwch yn drwyadl a ffriwch y cyfan am 2–3 munud arall.

2   Ychwanegwch y tatws melys, y gorbwmpen a'r tomatos a'u ffrio am tua 3–4 munud. Dylid troi'r gymysgfa'n dda i wneud yn siŵr bod popeth wedi ei orchuddio â'r saws cyrri a nionyn.

3   Ychwanegwch y stoc, cymysgwch yn dda a dewch â'r cyfan i'r berw. Rhowch gaead ar y badell (neu'r sosban) a'i adael i ffrwtian yn araf am 10 munud.

4   Ychwanegwch y fanana a gadewch i'r cyfan ffrwtian fel o'r blaen am rhyw 5 munud arall.

5   Rhowch y gril i boethi.

6   Tynnwch y gymysgfa oddi ar y gwres a'i hylifo nes y bydd yn gawl llyfn. Ychwanegwch bupur a halen a rhowch yn ôl yn y sosban i'w ailgynhesu.

7   Yn y cyfamser, tostiwch y bara *naan* yn frown golau o dan y gril a'i dorri'n stribedi rhyw 1½" (4cm) hirgul. Gweinwch y cawl mewn dysglau addas ac addurnwch â dail coriander. Bwytewch efo'r bara *naan*.

CENNIN A CHAWS YN Y POPTY 🖋️

Mae hwn yn bryd diffwdan a chyflym i'w baratoi. Gellir ei weini fel rhan o ginio mawr neu fel pryd ysgafn ar ei ben ei hun. Gallwch ddefnyddio'r un risêt gyda llysiau eraill, er enghraifft blodfresych neu frocoli.

DIGON I 4

pwys (450g) o gennin

4 owns (115g) o gaws Gouda wedi ei ratio

4 owns (115g) o gaws Mozzarella wedi ei ratio

2 owns (55g) o gaws Cheddar wedi ei ratio

2 lond llwy fwrdd o gaws Parmesan wedi ei ratio

llond llwy fwrdd o fwstard bras

hanner peint (285ml) o iogwrt Groegaidd

2 lond llwy de o flawd corn

2 lond llwy fwrdd o bersli ffres wedi ei falu

pupur ac ychydig o halen

Popty 200°C | Ffan 180°C | Nwy 6

1 Sleisiwch y cennin ar ongl (i gael darnau hirgrwn) cyn eu golchi'n drylwyr. Rhowch i ferwi am 6 munud mewn dŵr wedi ei halltu. Hidlwch ar unwaith. Mae'n bwysig eich bod yn cael gwared â'r dŵr i gyd trwy hidlo'n drylwyr.

2 Cymysgwch y 4 math o gaws efo'i gilydd mewn powlen go fawr. Ychwanegwch y mwstard, yr iogwrt, y blawd corn, y persli a phupur a halen a'u cymysgu.

3 Gosodwch y darnau cennin mewn un ddysgl fawr neu bedair dysgl fechan sy'n addas i'w rhoi yn y popty.

4 Gosodwch y gymysgfa gaws, sef y saws, am ben y cennin. Rhowch yn y popty am hanner awr nes y bydd wedi brownio a'r saws yn ffrwtian.

Tatws trwy'u crwyn â sawl llenwad

Bydd un llenwad yn ddigon ar gyfer 4 taten.

Paratoi

1   Cyn eu coginio, sgwriwch a sychwch y tatws. Os am groen crimp i'r daten, rhwbiwch y croen efo menyn neu fargarîn wedi ei doddi ac yna gyda halen. Priciwch y tatws efo fforc fel nad ydynt yn byrstio a difetha. Neu gwthiwch sgiwer fetal drwy'r tatws – mae hyn yn gwneud iddynt goginio'n gynt hefyd. Dylai'r tatws fod o'r un maint, wrth gwrs, er mwyn sicrhau eu bod yn barod yr un pryd â'i gilydd.

Pobi

1   Pobwch mewn popty 200°C (Ffan 180°C, Nwy 6) am awr i awr a hanner (yn dibynnu ar faint y tatws).

2   Rhoddir y llenwad yn y daten un ai mewn hollt neu groes ddofn yn ôl eich dewis. Dull arall yw torri'r daten yn ei hanner, cymysgu'r llenwad gyda thu mewn y daten wedi ei stwnsio ac yna ei roi yn ôl yn nau hanner y croen.

Llenwad sesame

1   Poethwch 2 lond llwy de (10ml) o olew sesame mewn padell ffrio. Ychwanegwch un ewin garlleg wedi ei falu a'i ffrio am funud.

2   Ychwanegwch bupur coch bychan a phupur melyn bychan wedi eu sleisio'n denau a 4 sibol o slotsyn wedi eu malu a'u ffrio am 2–3 munud.

3   Ychwanegwch 2 owns (55g) o egin ffa, 2 lond llwy de o hadau sesame a phinsiad o bowdr pum sbeis a'u ffrio am funud eto. Rhannwch y llenwad rhwng 4 taten mewn hollt neu groes.

Llenwad menyn a chaws

1   Tynnwch du mewn y tatws allan o'u crwyn ar ôl eu torri yn eu hanner a'u stwnsio mewn powlen gydag un owns (28g) o fenyn, 2 lond llwy fwrdd (30ml) o lefrith neu hufen a 3 owns (85g) o gaws Parmesan wedi ei ratio neu unrhyw gaws o'ch dewis – mae Red Leicester yn un da.

2   Ychwanegwch bupur a halen, cymysgwch yn dda a'i roi yn ôl yn y crwyn.

3   Sgeintiwch ychydig o bupur du am ben y tatws ac addurnwch â phersli, neu gwasgarwch ychydig o gaws wedi ei ratio drostynt a'u brownio o dan y gril cyn gosod y persli.

Llenwad madarch, garlleg a lemwn

1   Ffriwch 8 owns (225g) o fadarch wedi eu sleisio'n denau a 2 ewin garlleg wedi eu malu mewn 3 owns (85g) o fenyn nes bo'r madarch wedi meddalu.

2   Ychwanegwch un llond llwy fwrdd (15ml) o sudd lemwn a phinsiad go dda o'r croen wedi ei ratio.

3   Ychwanegwch bupur a halen a chymysgwch yn dda. Llenwch y groes neu'r hollt yn y tatws gyda'r gymysgfa.

Llenwad corgimwch a sbeis (os ydych yn bwyta pysgod)

1   Ffriwch hanner llond llwy de yr un o bowdr coriander, tyrmerig a chwmin mewn owns (28g) o fenyn am un funud.

2   Ychwanegwch 8 owns (225g) o gorgimychiaid a phinsiad o bowdr *chilli* a'u ffrio nes y byddant wedi poethi drwyddynt.

3   Cymysgwch un llond llwy fwrdd o goriander ffres wedi ei falu i mewn i'r gymysgfa cyn llenwi'r hollt yn y tatws.

GRATIN TATWS

owns (28g) o fenyn
llond llwy de o fwstard Dijon
3 owns a hanner hylifol (100ml) o gwrw
3 owns a hanner hylifol (100ml) o hufen dwbl
4 owns (115g) o gaws Cheddar wedi ei ratio
pwys (450g) o datws wedi eu sleisio'n gylchoedd tenau

Popty   190˚C | Ffan 170˚C | Nwy 5

1   Toddwch y menyn mewn sosban ac yna ychwanegwch y mwstard, yr hufen a'r cwrw a'u cymysgu'n drwyadl dros wres cymedrol nes y bydd yn dechrau berwi. Tynnwch y sosban oddi ar y gwres ac ychwanegwch dri chwarter y caws.

2   Rhowch y cylchoedd tatws i ferwi mewn sosban fawr am 4 munud ac yna eu hidlo. Os defnyddir sosban fach mae'r sleisiau tatws yn dueddol o lynu yn ei gilydd a thorri wrth i chi geisio eu gwahanu.

3   Gosodwch haenen o'r tatws mewn dysgl weddol fas wedi ei hiro, a thywalltwch ychydig o'r saws dros y tatws. Defnyddiwch weddill y tatws a'r saws i greu mwy o haenau gan orffen gyda haen o datws.

4   Gwasgarwch weddill y caws dros y tatws.

5   Pobwch am 30–35 munud. I'r sawl sydd yn bwyta cig, mae selsig neu olwythion porc yn flasus iawn gyda'r saig yma.

Tatws a chennin

2 bwys (900g) o datws wedi eu plicio

2 bwys (900g) o gennin wedi eu golchi a'u sleisio'n weddol denau

hanner pwys (225g) o fadarch bach wedi eu haneru

peint (570ml) o lefrith (neu hanner peint, 285ml, o lefrith a hanner peint o'r dŵr y berwyd y tatws a'r cennin ynddo)

un ddeilen llawryf (os mynnwch)

2 owns (55g) o fenyn neu fargarîn

2 owns (55g) o flawd plaen

llond llwy fwrdd o berlysiau cymysg ffres wedi eu malu, neu lond llwy de o berlysiau cymysg sych

6 owns (170g) o gaws wedi ei ratio – caws Cheddar neu Red Leicester sy'n rhoi'r blas gorau

pupur du a halen

Popty 200°C | Ffan 180°C | Nwy 6
(neu gweler rhif 7 isod)

1 Torrwch y tatws yn giwbiau hanner modfedd (12mm) a'u berwi mewn ychydig o ddŵr wedi ei halltu am 5–10 munud neu nes y byddant bron yn barod. Hidlwch ond cadwch y dŵr at wneud y saws os mynnwch. Rhowch y tatws o'r neilltu am y tro.

2 Rhowch y cennin mewn sosban gydag ychydig iawn o ddŵr wedi ei halltu a'u berwi nes y byddant, fel y tatws, bron â bod yn barod. Hidlwch yn dda ond cadwch y dŵr at wneud y saws os mynnwch. Gosodwch y cennin yn y ddysgl weini. Defnyddiwch ddysgl weddol fas sy'n dal 3 pheint (1.7 litr) ac sy'n addas i'w rhoi yn y popty.

3 Ffriwch y madarch mewn ychydig o fenyn am 3–4 munud a'u gosod dros y cennin yn y ddysgl.

4 I wneud y saws, paratowch y *roux* gyda'r menyn a'r blawd (gw. *Roux*, pennod *Briwsion*). Tynnwch y sosban oddi ar y gwres. Ychwanegwch y llefrith ychydig ar y tro (neu gymysgedd o lefrith a dŵr y tatws a'r cennin) a chymysgwch â llwy bren rhwng pob ychwanegiad nes y bydd yr hylif i gyd wedi ei gymysgu. Ychwanegwch y perlysiau. Rhowch y sosban yn ôl ar y gwres, dewch â'r saws i'r berw gan ofalu ei droi drwy gydol yr amser a'i fudferwi am funud neu ddau nes y bydd wedi tewychu ac yn berffaith llyfn.

5 Ychwanegwch 2 owns (55g) o'r caws wedi ei ratio a mwy o bupur a halen os oes angen. Cymysgwch y cyfan yn dda a phan fydd y caws wedi toddi tywalltwch y saws dros y madarch a'r cennin yn y ddysgl.

6 Gosodwch y ciwbiau tatws yn gyfartal a thaclus am ben y saws a gwasgarwch weddill y caws wedi ei ratio dros y cyfan.

7 Gellir ei boethi a'i frownio yn y popty am tua 20 munud neu ei gynhesu mewn popty gwyllt (*microwave*) a'i frownio o dan y gril.

MADARCH AC ATI

2 nionyn canolig wedi eu torri'n fân

ychydig o olew i ffrio

hanner pwys (225g) o fadarch wedi eu haneru, neu eu chwarteru os ydynt yn fawr

un ewin garlleg wedi ei falu

tua 3 owns hylifol (85ml) o Martini sych neu win gwyn sych

llond llwy de helaeth o *purée* tomato

darn tua modfedd (3cm) o fôn sinsir wedi ei blicio a'i dorri'n fân

un i 2 goesyn seleri wedi eu torri'n fân neu eu sleisio'n denau

chwarter i hanner llond llwy de o oregano sych

2 owns (55g) o goconyt hufennog

dyrnaid o gnau cashiw plaen neu wedi eu halltu

chwarter peint (140ml) o hufen dwbl

1. Ffriwch y nionod yn yr olew mewn padell weddol fawr nes y byddant wedi meddalu a brownio ychydig.

2. Ychwanegwch y madarch a'u ffrio nes y byddant wedi brownio a magu blas.

3. Ychwanegwch y garlleg a'r Martini neu win. Gadewch i'r cyfan ddod i'r berw a'i ferwi'n ffyrnig nes y bydd yr hylif i lawr at ei hanner.

4. Ychwanegwch y *purée* tomato, y sinsir, y seleri a'r oregano. Cymysgwch yn drwyadl, ac os oes gormod o hylif o hyd gadewch iddo ferwi am ychydig yn hwy. Gadewch i'r gymysgfa lynu ychydig yng ngwaelod y badell i fagu blas ac yna ei grafu'n ôl i'r gymysgfa – mae'r sgrwtsh yma'n gwneud byd o wahaniaeth i'r blas.

5. Ychwanegwch y coconyt hufennog a chymysgu nes y bydd wedi toddi.

6. Ychwanegwch y cnau cashiw ac, i orffen, cymysgwch yr hufen i mewn iddo a'i gynhesu'n drwyadl nes y bydd wedi tewychu. Gweinwch ar unwaith gyda reis wedi ei ferwi neu datws newydd bach.

   Sbarion: Os digwydd gwyrth a bod peth dros ben, defnyddiwch o fel llenwad i *vol-au-vents* neu grempogau.

NIONOD Â STWFFIN CNAU CYLL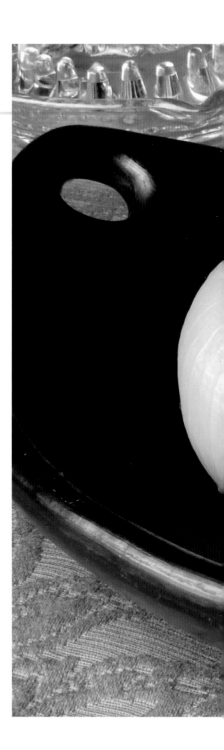

DIGON I 6

6 o nionod o faint canolig, wedi eu plicio

3 owns (85g) o fenyn

2 owns (55g) o gnau cyll wedi eu malu

owns (28g) o friwsion bara brown

croen un oren wedi ei ratio, a'r sudd

pupur du a halen

Popty   180°C | Ffan 160°C | Nwy 4

1   Tynnwch ganol y nionod allan (tua thraean o'r
    nionyn) a'u rhoi o'r neilltu.

2   Mudferwch 'gregyn' y nionod sydd ar ôl am tua
    10 munud ac yna eu hidlo yn dda i gael gwared â'r
    dŵr a'u gosod mewn dysgl sy'n addas i'w rhoi yn
    y popty.

3   Malwch ganol y nionod a gadwyd a'u ffrio mewn
    2 owns (55g) o'r menyn mewn padell ffrio am tua
    2 funud. Ychwanegwch y cnau, y briwsion, sudd
    a chroen yr oren a phupur a halen. Ffriwch am 2
    funud arall.

4   Llenwch ganol y nionod â'r stwffin hwn a
    gosodwch ddarnau bach o fenyn ar ben bob un.
    Coginiwch am 20 munud.

Strwdel madarch gwyllt

Madarch gwyllt: prynwch ychydig o bob math sydd at eich dant. Ond gallwch erbyn hyn brynu casgliad o fadarch wedi eu pacio'n barod, er eu bod yn ddrutach fel hyn. Os nad ydych yn hollol gyfarwydd â madarch gwyllt, peidiwch â mynd i'r goedwig i'w hel – efallai mai hwnnw fyddai eich swper olaf!

Digon i 4

8 owns (225g) o reis grawn hir wedi ei ferwi a'i hidlo

pwys (450g) o gennin wedi eu torri'n fân neu eu sleisio'n weddol denau

pwys (450g) o fadarch cymysg wedi eu torri'n fân

2 owns (55g) o gnau cashiw neu gnau Ffrengig wedi eu malu

2 lond llwy de wastad o oregano sych

llond llwy de wastad o Marmite

2 lond llwy bwdin (20ml) o saws soi

pecyn o does crwst ffilo

tua 2 owns (55g) o fenyn wedi ei doddi

hadau sesame

pupur a halen

Popty 220°C | Ffan 200°C | Nwy 7

1 Ffriwch y cennin mewn ychydig o fenyn neu fargarîn am tua 10 munud i'w meddalu.

2 Ychwanegwch y madarch a'u ffrio nes y bydd yr hylif wedi diflannu. Yna codwch y gwres am ychydig er mwyn i'r madarch ddechrau brownio a magu blas.

3 Ychwanegwch y cnau, yr oregano a'r Marmite, y saws soi a'r reis wedi ei ferwi. Ychwanegwch y pupur a halen a gadewch iddo oeri.

4 Cymerwch 5 haenen o does crwst ffilo. Ond, cofiwch, mae'n angenrheidiol eich bod yn cadw'r toes crwst ffilo dan orchudd pan nad ydych yn ei drin gan y gwnaiff sychu'n grimp os na wneir hyn. Gosodwch haenen o'r toes ffilo ar dun pobi (gan ailosod y gorchudd ar y gweddill) a'i frwsio â pheth o'r menyn wedi toddi. Gosodwch haenen arall o'r ffilo drosto a'i frwsio efo peth o'r menyn fel o'r blaen, ac ymlaen fel hyn nes y bydd y 5 haenen wedi eu gosod un ar ben y llall.

5 Gosodwch y llenwad madarch a reis yn daclus ar ganol y toes. Gwlychwch o amgylch ymylon y toes a'i lapio dros y llenwad i wneud parsel taclus gan bwyso'r ymylon gwlyb at ei gilydd i'w selio. Trowch y parsel drosodd fel bod yr ymylon sydd wedi eu selio oddi tanodd.

6 Sgeintiwch hadau sesame dros y parsel a phobwch am hanner awr. Gweinwch gydag unrhyw lysieuyn, tatws newydd o'r ardd neu salad.

7 Os bydd peth o'r llenwad dros ben, gellir ei rewi a'i ddefnyddio rywbryd eto fel llenwad i grempogau neu i bupur coch – coginiwch y pupur am ryw 20 munud mewn popty ar wres cymedrol.

SBROWTS GYDA MENYN, CNAU CYLL AC OREN

Mae hyd yn oed y rhai sy'n troi eu trwynau ar sbrowts (ysgewyll) yn ein tŷ ni wedi gwirioni efo'r risêt yma. Gellir paratoi'r menyn, cnau ac oren ddeuddydd neu dri o flaen llaw a'i gadw yn yr oergell.

DIGON I 10

3 owns (85g) o fenyn wedi ei feddalu ychydig

croen un oren fechan wedi ei ratio'n fân

2 owns (55g) o gnau cyll wedi eu tostio a'u malu (cewch rai parod yn yr archfarchnad)

2 bwys a thri chwarter (1.25cg) o sbrowts wedi eu trimio yn y dull arferol, a'u haneru

pecyn 12 owns (340g) o bys *petits pois* o'r rhewgell

pupur du

1   Cymysgwch y menyn, croen yr oren, y cnau cyll ac ychydig o bupur du gyda'i gilydd mewn powlen.

2   Rhowch y sbrowts mewn sosban sy'n cynnwys ychydig o ddŵr berwedig wedi ei halltu. Dewch â'r cyfan yn ôl i'r berw a'i ferwi am 4–5 munud. Ychwanegwch y pys a'u berwi am 2 funud arall. Er hyn, dylai'r sbrowts fod ychydig yn galed o hyd.

3   Hidlwch y cyfan i gael gwared â'r dŵr a rhowch y cyfan yn ôl yn y sosban. Trosglwyddwch y menyn ac ati o'r bowlen i'r sosban a throi'r cyfan yn ofalus (rhag difetha'r sbrowts) nes y bydd y menyn wedi llwyr doddi a bod haen ohono dros y sbrowts i gyd. Ychwanegwch bupur a halen os oes angen, cyn gweini.

RATATOUILLE 🍲

Rhyw fath o stiw Ffrengig ydi hwn.

Pan fydd y corbwmpenni ar fin bod yn barod yn yr ardd gen i, byddaf wrth fy modd yn cael nôl un neu ddwy, eu sleisio a'u ffrio efo nionyn a garlleg ac yna eu rhoi mewn dysgl a gratio ychydig o gaws drostynt a'i frownio o dan y gril. Ond, os daw glaw di-baid am ddyddiau, mae'r corbwmpenni yn mynd yn drech na fi a byddaf yn paratoi *ratatouille*. Dylech ddefnyddio wylys hefyd os am wneud y saig Ffrengig go iawn ond fyddaf i ddim yn trafferthu. Weithiau fe ychwanegaf ychydig o fadarch.

DIGON I 4

2 nionyn canolig wedi eu torri'n fras

3 corbwmpen ganolig wedi eu sleisio'n gylchoedd chwarter modfedd (6mm) o drwch

tun 14 owns (400g) o domatos, neu dynnu croen 4 tomato mawr a'u torri'n chwarteri (gw. *Plicio tomatos*, pennod *Briwsion*)

2 bupur gwyrdd neu goch wedi eu torri'n fras – taflwch yr hadau

4 owns (115g) o fadarch wedi eu sleisio

llond llwy de o oregano neu fasil sych

2 ewin garlleg wedi eu plicio a'u malu

pupur a halen

olew olewydd

1 Ffriwch y nionyn a'r garlleg yn araf yn yr olew mewn sosban am tua 10 munud.

2 Yn y cyfamser ffriwch y cylchoedd corbwmpen mewn olew (neu fenyn) mewn padell ffrio i'w brownio.

3 Ychwanegwch y corbwmpenni, y tomatos neu holl gynnwys y tun, y pupur gwyrdd neu goch a'r madarch at gynnwys y sosban.

4 Ychwanegwch yr oregano neu'r basil a'r pupur a halen at y gymysgfa a chymysgwch y cyfan yn drwyadl efo llwy bren. Rhowch gaead ar y sosban a mudferwch am tua hanner awr.

5 Tynnwch y caead oddi ar y sosban a mudferwch am chwarter awr arall. Dylai'r gymysgfa fod yn dew erbyn hyn. Bwytewch yn oer neu'n boeth efo reis.

Llysiau a Pherlysiau wedi eu Rhostio

Digon i 4

hanner rwden, tua 6 owns (170g), wedi ei thorri'n giwbiau tua modfedd sgwâr (2.5cm)

4 o foron bychain cyfan

4 o bannas bychain cyfan

un feipen fechan wedi ei haneru ac yna ei sleisio'n sleisiau tri chwarter modfedd (2cm) o drwch

2 nionyn coch canolig eu maint wedi eu plicio a'u torri at i lawr yn chwarteri

2 daten goch tua 6 owns (170g) yr un, a'r 2 wedi eu torri'n 6 darn

un ewin garlleg mawr wedi ei blicio a'i falu

3 llond llwy fwrdd (45ml) o olew olewydd

llond llwy fwrdd o berlysiau cymysg ffres (gan gynnwys teim, rhosmari a saets) neu hanner llond llwy de o berlysiau cymysg sych

pupur du a halen

Bydd arnoch angen tun rhostio cadarn yn mesur tua 16 x 12" (40 x 30cm).

Sylwch y byddwch yn paratoi'r llysiau yn ddarnau o'r un maint er mwyn iddynt i gyd goginio i'r un graddau.

Popty 230°C | Ffan 210°C | Nwy 8

1. Sgwriwch y moron a'r pannas a'u sychu'n dda cyn eu gosod mewn powlen fawr gyda'r llysiau eraill.
2. Ychwanegwch y garlleg wedi ei falu, yr olew a'r perlysiau ac yna defnyddiwch eich dwylo i'w cymysgu'n dda gan wneud yn siŵr bod y llysiau wedi eu gorchuddio'n llwyr gan yr olew.
3. Gorchuddiwch y bowlen â *cling film* a'i gadael am awr neu ddwy nes y byddwch yn barod i rostio'r llysiau. Erbyn hynny bydd yr olew wedi amsugno blas y garlleg a'r perlysiau.
4. Tywalltwch holl gynnwys y bowlen ar y tun pobi a sgeintiwch halen a phupur drosto.
5. Rhostiwch am tua 40 munud neu nes y bydd y llysiau'n barod. Efallai y bydd angen troi'r llysiau drosodd os bydd eu hymylon yn dechrau duo a chrimpio.

KORMA LLYSIEUOL

Mae hwn yn dda gyda chig ynddo hefyd!

DIGON I 6 O LEIAF

2 nionyn mawr wedi eu malu'n fras

3 o foron bychain wedi eu sleisio'n gylchoedd chwarter modfedd o drwch

un i 2 ewin garlleg wedi eu plicio a'u malu

hanner blodfresychen wedi ei gwahanu'n flodigion bach

hanner pwys (225g) o fadarch wedi eu sleisio

tun o india corn (170g)

un pupur gwyrdd wedi ei dorri'n giwbiau neu 2 hanner o liw gwahanol

2–3 coesyn seleri wedi eu sleisio'n denau

2 dun (400g yr un) o domatos

jar o saws *korma* da, 500g

llond dwrn go dda o syltanas

llond llwy bwdin o *purée* tomato

2 owns o goconyt hufennog

olew i ffrio

pupur a halen

1 Ffriwch y nionod mewn llond llwy fwrdd o olew, mewn padell ffrio fawr, nes y byddant wedi meddalu.

2 Ychwanegwch y garlleg, y moron a'r seleri a'u ffrio am 2–3 munud. Dylid eu symud o gwmpas yn awr ac yn y man rhag iddynt lynu yng ngwaelod y badell.

3 Ychwanegwch gynnwys y 2 dun tomatos, yr india corn, y *purée* tomato, y saws *korma* ac ychydig o bupur a halen. Cymysgwch yn drwyadl a rhowch gaead ar y badell a'i fudferwi am tua hanner awr neu nes y bydd y moron wedi meddalu ychydig.

4 Ychwanegwch y madarch, y syltanas, y flodfresychen a'r pupur gwyrdd a chymysgwch y cyfan yn dda a'i fudferwi am chwarter awr eto. Bydd angen ei droi a'i gymysgu yn awr ac yn y man.

5 Tynnwch y caead i ffwrdd ac os oes peth o'r cyrri wedi glynu (nid llosgi!) yng ngwaelod y badell, crafwch hwn a'i gymysgu i mewn – gall ychwanegu at flas y cyrri. Os yw wedi glynu gormod i'w grafu, tynnwch oddi ar y gwres a rhowch y caead yn ôl a'i adael am 15–20 munud. Erbyn hyn dylai'r hyn sydd wedi glynu fod wedi meddalu digon i'ch galluogi i'w gymysgu i mewn.

6 Ychwanegwch y coconyt a'i gymysgu dros wres isel nes y bydd wedi llwyr ymdoddi.

7 Dylai'r cyrri fod yn dew erbyn hyn – wrth dynnu llwy drwy ei ganol dylech fedru gwneud llwybr na wnaiff lenwi'n ôl. Os nad yw wedi tewychu digon, tynnwch y caead i ffwrdd a'i ferwi am ychydig eto.

PASTA Ⓛⓛ

Mae cyfarwyddiadau cyffredinol ar bron bob pecyn pasta ond mae pwyntiau i'w pwysleisio nad ydynt ar y pecyn ac sy'n gymorth i gael gwell llwyddiant ar y berwi!

1   Defnyddiwch sosban fawr iawn sy'n dal o leiaf 4 peint (2.25 litr) o ddŵr. Mae hyn ar gyfer 8 owns (225g) o basta, llond llwy fwrdd wastad o halen a llond llwy bwdin (10ml) o olew olewydd. Gellid peidio rhoi halen mewn pryd lle cymysgir saws go gryf (e.e., *bolognaise*) efo'r pasta.

2   Gofalwch fod y dŵr yn berwi'n ffyrnig cyn ychwanegu'r pasta.

3   Rhowch y pasta yn y dŵr yn weddol sydyn a'i symud o gwmpas yn y dŵr ar y dechrau i'w wahanu. Os mai pasta hir fel sbageti sydd gennych, daliwch o yn eich llaw fel tusw o flodau a'i ben i lawr a'i wthio'n ofalus yn erbyn gwaelod y sosban. Wrth i chi ei deimlo'n rhoi, daliwch i'w wthio nes y bydd y cyfan wedi mynd yn llipa yn y dŵr.

4   Dylai'r dŵr ddod yn ôl i'r berw mewn eiliadau. Peidiwch â rhoi caead ar y sosban neu bydd yn siŵr o ferwi drosodd.

5   Dylai'r pasta fod yn barod ymhen 8–10 munud ond gan fod siâp ac ansawdd pasta'n amrywio, mae'n ddoeth ei flasu ar ôl 8 munud. Wrth gwrs, unwaith y byddwch wedi dod yn gyfarwydd â math penodol o basta, byddwch yn gwybod i'r dim pryd i'w dynnu o'r dŵr.

6   Dylid cael hidl yn barod yn y sinc. Tywalltwch gynnwys y sosban i'r hidl ac ysgydwch yr hidl rownd a rownd i gael gwared â'r rhan fwyaf o'r dŵr. Ond peidiwch â'i hidlo'n rhy drylwyr gan ei bod yn ddoeth cael gwlybaniaeth yn y pasta rhag iddo sychu gormod a glynu yn ei gilydd – mae'r olew a roddwyd yn y dŵr hefyd yn arbed iddo lynu yn ei gilydd. Gosodwch yr hidl i eistedd ar y sosban i ddal unrhyw ddiferion am eiliad neu ddwy.

7   Dylid gweini sbageti efo gefeiliau arbennig (*pasta tongs*) a'i godi'n uchel o'r hidl neu'r ddysgl er mwyn gwahanu pob darn oddi wrth y llall.

8   Gweinwch mewn dysglau poeth yn hytrach nag ar blatiau.

9   Mae'n ofynnol eich bod yn gweithio'n gyflym wrth baratoi a gweini pasta. Os gadewch iddo oeri, fe aiff yn ludiog fel gliw.

PASTA MEWN SAWS CYRRI

Maen nhw'n dweud y gallwch golli pwysau drwy fwyta pasta. Wn i ddim am hynny – alla' i ddim diodde'r peth. Dim ond Sieff Rhif 2 acw sy'n crefu am basta! Na, a bod yn onest, mae pasta'n llawn maeth ac yn fwyd penigamp.

Faint o basta i'w gynnwys mewn risêt? Wel, mae'n fater o beth yw hyd darn o sbageti! Dyma risêt sy'n anghyffredin a dweud y lleiaf ac mae blas arbennig arni (medde nhw!).

DIGON I 4

pwys (450g) o basta cul fel *tagliatelle*

owns (28g) o fenyn neu fargarîn

un nionyn canolig wedi ei dorri'n fân

un ewin garlleg wedi ei blicio a'i falu

2 lond llwy de o bowdr coriander

llond llwy de o bowdr ffenigrig (*fenugreek*)

llond llwy de o bowdr cwmin

llond llwy de o bowdr tyrmerig

pinsiad o bupur Cayenne

un fanana fawr wedi ei phlicio a'i sleisio

sudd hanner leim

hanner peint (285ml) o stoc llysiau

hanner peint (285ml) o iogwrt llefrith cyflawn

2 lond llwy de o fintys wedi ei falu

pupur a halen

1 Toddwch y menyn neu'r margarîn mewn sosban fawr ac ychwanegwch y nionyn a'i ffrio nes y bydd wedi meddalu.

2 Ychwanegwch y garlleg, coriander, ffenigrig, cwmin, tyrmerig, pupur Cayenne a phupur a halen a'u ffrio am un funud. Ychwanegwch y banana a'r sudd leim a'u ffrio i feddalu'r banana. Gallwch stwnsio'r banana â fforc neu stwnsiwr tatws os bydd yn anodd i'w meddalu.

3 Ychwanegwch y stoc, rhowch gaead ar y sosban a gadewch i'r saws ffrwtian am tuag 20 munud ar wres isel.

4 Yn y cyfamser, berwch y pasta nes y bydd yn barod (gw. *Pasta*, tud. 118). Hidlwch ac yna tywalltwch ddŵr poeth o'r tegell drosto. Gadewch iddo ddiferu.

5 Ewch yn ôl at y saws a'i hylifo nes y bydd yn llyfn ac yna ei dywallt yn ôl i sosban lân a'i ailgynhesu. Tynnwch y sosban oddi ar y gwres ac ychwanegwch yr iogwrt a'r mint. Cynheswch ond peidiwch â'i ferwi rhag difetha'r iogwrt.

6 Gofalwch eich bod yn amseru'r paratoadau fel bod y pasta a'r saws yn barod efo'i gilydd rhag iddynt oeri. Tywalltwch y saws dros y pasta a'u cymysgu'n ofalus. Gweinwch ar unwaith.

TAGLIATELLE A DAU GAWS ▨

pwys a 2 owns (510g) o *tagliatelle*

pinsiad o halen

4–6 owns (115–170g) o gorgimychiaid (rhai allan o
dun, neu rai o'r rhewgell ac wedi eu dadmer) – gw.
cam 6 isod

2 lond llwy fwrdd (30ml) o olew

Y saws

owns (28g) o fenyn

2 ewin garlleg wedi eu plicio a'u malu

3 owns (85g) o gaws Edam wedi ei ratio

3 owns (85g) o gaws Cheddar wedi ei ratio

6 owns hylifol (170 ml) o hufen sengl

llond llwy de (5ml) o *Worcester sauce* llysieuol

pinsiad o bupur Cayenne

llond llwy fwrdd o bersli ffres wedi ei falu

llond llwy fwrdd o fasil ffres wedi ei falu

1 Gosodwch y *tagliatelle*, yr halen a'r olew mewn
sosban fawr o ddŵr berwedig a'i ferwi am 5
munud neu yn ôl y cyfarwyddiadau ar y paced.

2 Yn y cyfamser, i wneud y saws, toddwch y menyn
mewn sosban, ychwanegwch y garlleg a'i ffrio'n
ysgafn am un funud.

3 Ychwanegwch y caws a'r hufen a'i goginio dros
wres isel nes y bydd y caws wedi toddi.

4 Ychwanegwch y *Worcester sauce* a'r pupur Cayenne
a chymysgwch yn dda.

5 Hidlwch y *tagliatelle* yn dda a chymysgwch i
mewn i'r saws.

6 Os ydych yn bwyta pysgod, ychwanegwch y
corgimychiaid, wedi eu cynhesu ychydig ymlaen
llaw, a chymysgwch yn ofalus.

7 Gwasgarwch y persli a'r basil drosto a gweinwch
ar unwaith.

SOUFFLÉ CAWS

3 ŵy

owns (28g) o fenyn

hanner owns (14g) o flawd plaen

chwarter peint (140ml) o lefrith

3 owns (85g) o gaws Red Leicester neu Cheddar wedi
ei ratio

pupur a halen

ychydig o fwstard sych (tua chwarter llond llwy de)

Popty 200°C | Ffan 180°C | Nwy 6

1. Toddwch y menyn mewn sosban, ychwanegwch y blawd a chymysgwch yn dda efo llwy bren a'i goginio am funud neu ddau ar y gwres gan ofalu ei droi trwy gydol yr amser.

2. Tynnwch y sosban oddi ar y gwres, ychwanegwch y llefrith yn raddol ac yna dewch â'r cyfan i'r berw gan ofalu ei droi trwy gydol yr amser. Gadewch iddo oeri ychydig.

3. Gwahanwch y melynwy a'r gwynnwy.

4. Ychwanegwch y melynwy fesul un at y gymysgfa yn y sosban gan ofalu ei guro'n dda.

5. Ychwanegwch y caws, y pupur a'r halen a'r mwstard. Cymysgwch yn drwyadl.

6. Curwch y gwynnwy nes bo'n stiff ac yna ei blygu i mewn i'r gymysgfa yn y sosban â llwy fwrdd.

7. Trosglwyddwch y gymysgfa i ddysgl *soufflé*, neu ddysgl gaserol, wedi ei hiro.

8. Rhowch yn y popty am tua hanner awr nes y bydd y *soufflé* wedi codi'n dda ac yn frown ei liw. Peidiwch ag agor drws y popty yn y cyfamser rhag iddo fynd i lawr.

9. Gweinwch ar unwaith – nid yw hwn yn bryd ar gyfer gŵr nad oes dal pa bryd y daw adref o'i waith!

Quiche madarch a nionod 🝊

Hufen dwbl neu sengl yw'r gorau ar gyfer y risêt yma ond fe wnaiff llefrith y tro os am arbed arian neu golli pwysau!

Y crwst

6 owns (170g) o flawd plaen

3 owns (85g) o fargarîn

ychydig o ddŵr oer – tua llond llwy fwrdd a hanner (15–20ml)

tun fflan 8" (20cm) – mae un efo gwaelod rhydd yn haws i'w drin

Y llenwad

hanner pwys (225g) o fadarch fflat (mae gwell blas arnynt) wedi eu torri'n fân iawn

un nionyn canolig wedi ei dorri'n fân iawn

2 ŵy mawr

hanner peint (285ml) o hufen dwbl

owns (28g) o fenyn

nytmeg wedi ei ratio

pupur du a halen

Popty 180°C | Ffan 160°C | Nwy 4

1 I wneud toes y crwst brau, gogrwch y blawd i bowlen.

2 Torrwch y margarîn yn ddarnau bach a'u rhwbio i'r blawd nes y bydd y gymysgfa fel briwsion.

3 Ychwanegwch y dŵr a chymysgwch â chyllell nes y bydd wedi ffurfio'n belen gan adael y bowlen yn berffaith lân. Tylinwch gyda'ch dwylo yn ysgafn i'w wneud yn does llyfn.

4 Wedi gwneud y toes ar gyfer y crwst, rhowch mewn bag plastig a'i roi yn yr oergell am 20–30 munud.

5 Rhowch y popty i boethi a gosodwch dun pobi ar y silff ganol.

6 Rholiwch y toes allan a leiniwch y tun fflan efo fo. Gofalwch fod y toes yn dilyn ymylon rhychiog y tun (os mai tun felly sydd gennych) ac yn yr un modd yn gorwedd yn dynn a gwastad ar waelod y tun. Yna dilynwch y cyfarwyddiadau manwl sydd yn *Crwst fflan* ym mhennod *Briwsion*.

7 Trowch wres y popty i lawr i 170°C (Ffan 150°C, Nwy 3).

8 Paratowch y llenwad trwy, yn gyntaf, doddi'r menyn mewn sosban go fawr. Ychwanegwch y nionyn a'i ffrio am tua 5 munud i'w feddalu.

9 Ychwanegwch y madarch a gadewch i'r cyfan ffrwtian yn araf heb gaead ar y sosban am tua chwarter awr neu nes y bydd y rhan fwyaf o'r sudd wedi diflannu. Bydd angen ei droi yn awr ac yn y man. Hidlwch y llenwad os oes angen – i gael gwared â'r sudd. Mae sudd yn difetha'r crwst

trwy ei wneud yn rhy soeglyd. Rhowch y llenwad wedyn i mewn yn y crwst fflan.

10 Curwch yr wyau yn dda, ychwanegwch yr hufen a'r pupur a halen a chymysgwch y cyfan yn drwyadl. Ychwanegwch ychydig o nytmeg – rhyw grafiad neu ddau. Hidlwch i gael hylif llyfn a thywalltwch hwnnw dros y madarch a'r nionyn.

11 Gosodwch y fflan (ar y tun pobi o hyd) yn y popty a phobwch am 35–40 munud neu nes y bydd y llenwad wedi setio ac yn felyn frown (gw. *Cwstard wedi setio*, pennod *Briwsion*).

12 Bwytewch tra bydd yn boeth. Gellir ailgynhesu hon hefyd heb amharu dim ar ei blas.

CRWST FFLAN CYFLYM

Pan fo amser ac amynedd yn brin, dyma grwst sy'n hawdd a chyflym i'w baratoi.

4 owns a hanner (125g) o fargarîn meddal

pinsiad o halen

2 lond llwy bwdin (20ml) o ddŵr oer

6 owns (170g) o flawd plaen

Popty 200°C | Ffan 180°C | Nwy 6

1 I baratoi'r toes, rhowch y margarîn, halen, dŵr a 2 lond llwy fwrdd o'r blawd mewn powlen a chymysgwch y cyfan yn dda gyda fforc. Ychwanegwch weddill y blawd a chymysgwch nes y bydd wedi glynu yn ei gilydd.

2 Rhowch y popty i boethi a gosodwch dun pobi ynddo.

3 Tylinwch y toes i'w wneud yn llyfn a'i rolio allan yn ddigon mawr i leinio tun fflan crwn 10" (25cm). Gofalwch fod y toes yn dilyn ochrau rhychiog y tun (os mai tun felly sydd gennych) ac yn yr un modd yn gorwedd yn dynn a gwastad ar waelod y tun. Yna dilynwch y cyfarwyddiadau manwl sydd yn *Crwst fflan* ym mhennod *Briwsion*.

4 Llenwch y fflan ag un o'r ddau lenwad sy'n dilyn.

Llenwad caws saets

un nionyn

hanner owns (15g) o fargarîn

3 owns (85g) o gaws saets Derby neu debyg

3 owns hylifol (85ml) o lefrith

chwarter peint (140ml) o hufen sengl

llond llwy de wastad o saets ffres wedi ei falu'n fân

pinsiad o bupur Cayenne

2 ŵy wedi eu curo

1 Pliciwch a thorrwch y nionyn yn weddol fân a'i ffrio yn y margarîn am 3 munud mewn padell. Tynnwch y nionyn o'r badell a'i roi ar bapur cegin i gael gwared â'r margarîn.

2 Malwch neu gratiwch y caws yn fân a'i wasgaru dros waelod y crwst fflan. Ychwanegwch y nionyn wedi ei ffrio.

3 Chwisgiwch yr hufen, y llefrith, y saets, y pupur Cayenne a'r wyau gyda'i gilydd am ychydig. Tywalltwch yn ofalus i'r crwst fflan.

4 Rhowch yn ôl yn y popty ar yr un gwres (200°C, Ffan 180°C, Nwy 6) a phobwch am 35–40 munud nes y bydd y llenwad wedi setio a brownio (gw. *Cwstard wedi setio*, pennod *Briwsion*).

5 Gellir bwyta'r fflan yn boeth neu'n oer ac mae'n addas ar gyfer 8 o bobl i swper, cinio, picnic neu fel rhan o bwffe.

Llenwad tiwna (os ydych yn bwyta pysgod)

owns (28g) o fargarîn

owns (28g) o flawd plaen

hanner peint (285ml) o lefrith

tun 7 owns (200g) o diwna heb yr hylif ac wedi ei falu â fforc

un pupur gwyrdd heb yr hadau ac wedi ei dorri'n weddol fân

tun 6 owns (170g) o india corn heb yr hylif

pupur a halen

2 lond llwy fwrdd (30ml) o hufen sengl

1   Toddwch y margarîn mewn sosban, ychwanegwch y blawd a chymysgwch yn dda. Coginiwch dros wres isel am funud neu ddau gan ofalu ei droi â llwy bren drwy gydol yr amser.

2   Tynnwch y sosban oddi ar y gwres ac ychwanegwch y llefrith fesul tipyn a'i gymysgu'n drwyadl.

3   Rhowch y sosban yn ôl ar y gwres a chymysgwch y saws â llwy bren nes y daw i'r berw ac y bydd yn llyfn a thew.

4   Cymysgwch y tiwna, y corn a'r pupur gwyrdd i mewn i'r saws. Ychwanegwch bupur a halen.

5   Gadewch iddo oeri ychydig cyn ychwanegu'r hufen sengl. Cymysgwch yn ofalus a thywalltwch i mewn i'r crwst fflan.

6   Rhowch yn ôl yn y popty ar yr un gwres (200°C, Ffan 180°C, Nwy 6) a phobwch am 35–40 munud nes y bydd y llenwad wedi setio a brownio.

7   Gellir bwyta'r fflan yn boeth neu'n oer ac mae'n addas ar gyfer 8 o bobl i swper, cinio, picnic neu fel rhan o bwffe.

Pastai ardal y Canolfor

Mae hon yn em o risêt i lysieuwyr – profwch hi.

Crwst caws

12 owns (340g) o flawd plaen

6 owns (170g) o fenyn wedi ei dorri'n ddarnau

5 owns (140g) o gaws Cheddar wedi ei ratio

Y llenwad

un nionyn coch wedi ei dorri'n 6–8 darn

**un bob un o bupur coch, oren a melyn wedi eu
sleisio'n weddol drwchus (taflwch yr hadau)**

2 gorbwmpen wedi eu sleisio

2 ewin garlleg wedi eu malu

2 lond llwy fwrdd (30ml) o olew olewydd

halen a phupur du

5 owns (140g) o gaws ffeta wedi ei dorri'n giwbiau

tomato go fawr wedi ei thorri'n 8 darn

un ŵy wedi ei guro

Popty 190°C | Ffan 170°C | Nwy 5

1. I baratoi'r crwst, gogrwch y blawd i bowlen ac yna ychwanegwch y menyn a'i rwbio i mewn nes y bydd y gymysgfa fel briwsion. Ychwanegwch 4 owns (115g) o'r caws Cheddar a 5–6 llond llwy fwrdd (75–90ml) o ddŵr oer. Cymysgwch i wneud toes go feddal (ond heb fod yn wlyb). Rhowch y toes mewn cwdyn plastig a'i adael yn yr oergell am tua hanner awr.

2. Poethwch yr olew mewn padell ffrio fawr a ffriwch y nionyn, y 3 phupur, y corbwmpenni a'r garlleg. Er mwyn i'r llysiau hyn gael brownio a magu blas, peidiwch â ffrio'r cwbl efo'i gilydd. Ffriwch hwy ychydig ar y tro. Ar ôl pob ffriad, rhowch y cynnwys mewn powlen go fawr. Wedi gorffen, ychwanegwch bupur a halen.

3. Rholiwch y toes allan yn sgwâr 12 x 12" (30 x 30cm) a'i osod ar dun pobi mawr sydd â haenen o flawd arno.

4. Gosodwch y llysiau, y darnau o gaws ffeta a'r darnau tomato ar y sgwâr o does gan adael 2" glir o amgylch yr ymylon. Trowch yr ymylon hyn i mewn dros y cynnwys a bydd gennych sgwâr o lysiau heb orchudd yn y canol.

5. Brwsiwch yr ŵy dros ymylon y toes a drowyd i mewn a gwasgarwch weddill y caws Cheddar hefyd dros yr ymylon. Pobwch am hanner awr neu nes y bydd y llysiau a'r crwst wedi brownio.

CREMPOGAU GYDA LLENWAD O GENNIN A CHAWS 🌿

Mae'r llenwad yn flasus dros ben. Gellid ei fwyta gyda chig yn hytrach na chrempog, yn oer neu yn boeth.

10–12 crempog (gw. risêt *Crempogau cyw iâr a chorgimychiaid*, tud. 66)

pwys (450g) o gennin

owns (28g) o fenyn

4 owns (115g) o gaws colfran (*cottage cheese*)

2 lond llwy fwrdd o *mayonnaise*

2 lond llwy fwrdd o iogwrt

llond llwy fwrdd (15ml) o hufen sengl

llond llwy fwrdd (15ml) o sudd lemwn

llond llwy fwrdd (15ml) o olew

chwarter llond llwy de o daragon sych neu lond llwy de o daragon ffres

pupur a halen

Popty 180°C | Ffan 160°C | Nwy 4

1 Paratowch y cennin trwy eu golchi a'u sychu'n drwyadl ac yna eu sleisio'n gylchoedd gweddol denau.

2 Toddwch y menyn a ffriwch y cennin am 5–8 munud i'w meddalu ond nid i'w brownio.

3 Rhowch weddill y cynhwysion mewn hylifydd a'u hylifo am tua hanner munud. Os nad oes gennych hylifydd, pwyswch y caws colfran trwy ogr ac yna'i gymysgu gyda gweddill y cynhwysion. Curwch y cyfan yn dda nes y bydd y gymysgfa'n llyfn a hufennog.

4 Cymysgwch y cennin i mewn i'r gymysgfa hufennog.

5 Gosodwch lwyaid o'r llenwad hwn ar bob crempog a'u rholio i fyny cyn eu gosod ochr yn ochr mewn dysgl wedi ei hiro.

6 Gosodwch ddarnau bach ychwanegol o fenyn ar ben pob crempog. Gwasgarwch ychydig bach o gaws Cheddar wedi ei ratio drostynt os mynnwch.

7 Rhowch yn y popty am 15–20 munud i'w cynhesu'n drwyadl.

Salad betys coch a phîn-afal ⬛

tun 6 owns (170g) o giwbiau pîn-afal

8 owns (225g) o fetys coch wedi eu berwi

un afal bwyta heb ei blicio

llond llwy fwrdd (15ml) o sudd lemwn

2 lond llwy fwrdd o *mayonnaise*

owns (28g) o gnau Ffrengig wedi eu malu'n fân

1 Hidlwch gynnwys y tun pîn-afal a thorri'r ffrwyth yn fras. Ni fydd angen y sudd.

2 Torrwch y betys coch yn giwbiau a thorrwch yr afal yn weddol fân (ar ôl torri'r galon allan).

3 Cymysgwch y cyfan gyda'i gilydd mewn powlen go fawr.

4 Ychwanegwch y sudd lemwn a'r *mayonnaise* a chymysgwch yn ofalus.

5 Trosglwyddwch y cyfan i ddysgl a gwasgarwch y cnau Ffrengig drosto.

Salad cwscws ⬛

10 owns (285g) o cwscws

stoc llysiau

2 gorbwmpen

llond llwy fwrdd (15ml) o olew olewydd

4 owns (115g) o gaws ffeta wedi ei falu'n friwsion bras

pecyn tri chwarter owns (20g) o bersli wedi ei falu

sudd un lemwn

1 Coginiwch y cwscws yn y stoc llysiau yn ôl y cyfarwyddiadau ar y pecyn.

2 Golchwch a sychwch y 2 gorbwmpen a'u sleisio'n weddol denau. Gosodwch yn daclus ar dun pobi.

3 Rhowch y gril i boethi. Diferwch olew dros y cylchoedd corbwmpen a sgeintiwch ychydig o bupur a halen drostynt. Griliwch am 2 funud ac yna eu troi drosodd a'u grilio am un i 2 funud yn rhagor nes y byddant wedi meddalu ac yn felyn frown.

4 Rhowch y cyfan mewn dysgl fawr, ychwanegwch y cwscws ac yna weddill y cynhwysion. Cymysgwch y cyfan yn drylwyr a gadewch iddo oeri i wres yr ystafell cyn ei fwyta.

Pastai madarch a chennin

Risêt y mae hyd yn oed cigwyr pybyr yn ei mwynhau!

Digon i 4

llond llwy fwrdd (15ml) o olew olewydd

4 cenhinen fechan wedi eu sleisio'n gylchoedd hanner modfedd (tua 1cm) o drwch

un pupur coch wedi ei dorri'n ddarnau bychain

8 owns (225g) o fadarch wedi eu sleisio

pwys (450g) o does crwst pwff (gellir prynu hwn mewn blocyn trwchus, neu wedi ei rolio allan yn barod)

2 lond llwy de o fwstard Dijon

6 owns (170g) o gaws Red Leicester (neu unrhyw gaws o'ch dewis) wedi ei ratio

llond llwy de o deim ffres wedi ei falu neu chwarter llond llwy de o deim sych

un ŵy wedi ei guro

pupur a halen

Popty   210°C | Ffan 190°C | Nwy 6–7

1   Poethwch yr olew mewn padell ffrio fawr ac ychwanegwch y cennin, y pupur a'r madarch a'u ffrio dros wres go uchel am 5–10 munud. Dylid symud a throi'r llysiau drwy gydol yr amser gyda llwy bren rhag iddynt lynu a llosgi. Rhowch y llysiau wedyn ar bapur cegin er mwyn cael gwared ag unrhyw saim a gwlybaniaeth ohonynt.

2   Rholiwch allan hanner y toes yn sgwâr 10" (25cm) a'i osod ar dun pobi wedi ei iro'n ysgafn. Taenwch haenen denau o fwstard Dijon drosto.

3   Rholiwch allan weddill y toes yn sgwâr 11" (28cm).

4   Gosodwch y llenwad dros y toes sydd ar y tun pobi ond heb fynd yn agos at yr ymylon. Wedyn, gwasgarwch y teim a'r caws drosto.

5   Gwlychwch ymylon y toes gyda dŵr oer, yna gosodwch y darn arall o does yn ofalus dros y llenwad a gwasgwch ymylon y ddau ddarn toes at ei gilydd i'w selio'n dda.

6   Gwnewch hollt bach yn y toes cyn ei frwsio gyda'r ŵy wedi ei guro. Pobwch am 25–30 munud a gweinwch yn boeth.

Pwdin

Nefoedd ydi trowsus efo lastig rownd ei ganol!

TARTEN FRAU SBEIS AC AFAL 🖋

Cefais y risêt yma gan Gymraes sy'n byw yn Seland Newydd ar ôl noson a phryd i'w gofio yn ei chwmni hi (Heulwen arall!) a'i gŵr Percy.

4 owns a hanner (125g) o fenyn

4 owns a hanner (125g) o siwgr

un ŵy

7 owns (195g) o flawd plaen

2 lond llwy fwrdd o flawd corn

llond llwy fwrdd o bowdr cwstard

llond llwy de o bowdr codi

Y llenwad

pwys a thri chwarter (800g) o afalau wedi eu stiwio digon i'w meddalu ychydig ac wedi eu hidlo'n dda i gael gwared â'r sudd

llond llwy de o sbeis cymysg

siwgr eisin i addurno

chwarter llond llwy de o clofs, os mynnwch, wedi eu malu'n bowdr

Popty 200°C | Ffan 180°C | Nwy 6

1 Paratowch y crwst trwy, yn gyntaf, guro'r menyn a'r siwgr gyda'i gilydd nes bo'n ysgafn a gwyn ei liw.

2 Ychwanegwch yr ŵy ac yna weddill y cynhwysion. Cymysgwch nes y bydd y cyfan wedi troi'n belen o does.

3 Defnyddiwch dri chwarter y toes i leinio gwaelod ac ochrau tun neu ddysgl fflan 9–10" (23–25cm). Rhowch dun pobi yn y popty.

4 I baratoi'r llenwad, rhowch yr afalau wedi eu stiwio mewn sosban a gadewch iddynt ddod i'r berw'n araf. Ychwanegwch y sbeis (a'r powdr clofs os byddwch am ei ddefnyddio) a digon o siwgr at eich dant. Tra bo'r afalau yn dal i ffrwtian, tywalltwch hwy dros y toes yn y tun fflan.

5 Rholiwch allan weddill y toes a'i osod dros yr afalau poeth. Bydd angen trwsio'r toes a llenwi'r bylchau gan ei fod mor frau ac yn dueddol o dorri, felly amynedd piau hi!

6 Rhowch y darten ar y tun pobi yn y popty a phobwch am 25–30 munud nes y bydd wedi brownio. Gadewch iddi oeri ychydig ac yna sgeintiwch siwgr eisin drosti. Gweinwch gyda hufen neu hufen iâ.

Tarten surop

pecyn 500g o does crwst brau parod neu grwst brau cartref (gw. y dull yn *Quiche madarch a nionod*, tud. 122)

3 owns (85g) o friwsion bara gwyn ffres

croen un lemwn wedi ei ratio'n fân, a'r sudd

8 owns (225g) o surop (gw. *Pwyso triog*, pennod *Briwsion*)

un ŵy wedi ei guro

Popty   190°C | Ffan 170°C | Nwy 5

1   Rhowch chwarter y toes o'r neilltu at eto. Rholiwch y gweddill allan a'i ddefnyddio i leinio tun fflan 8" (20cm). Rhowch yn yr oergell am hanner awr.

2   Cymysgwch y briwsion bara a chroen y lemwn gyda'i gilydd ac yna eu gwasgaru'n wastad dros waelod y toes. Dylai hyn bron lenwi'r tun fflan.

3   Rhowch y surop a'r sudd lemwn mewn sosban fechan a'u cynhesu'n ofalus. Yna, yn araf bach, tywalltwch hwn dros y briwsion nes y byddant wedi eu gorchuddio â'r surop. Peidiwch â phoeni os nad yw'r briwsion oddi tanodd wedi eu mwydo yn y surop – bydd hyn yn siŵr o ddigwydd yn y popty.

4   Rholiwch allan y toes a gadwyd a'i dorri'n stribedi hirgul. Gosodwch y stribedi dros wyneb y darten mewn patrwm cris-croes a'u glynu wrth yr ymylon efo dŵr.

5   Brwsiwch y stribedi a'r ymylon efo ŵy wedi ei guro. Gosodwch y darten ar dun pobi a'i choginio am 30–35 munud nes y bydd y llenwad wedi tewychu a'r crwst yn felyn frown. Gweinwch yn gynnes efo hufen neu gwstard.

CACEN AFAL AC ALMON 🪶

8 owns (225g) o grwst haenog

2 owns (55g) o almonau mâl

2–3 diferyn o nodd almon

2 owns (55g) o siwgr mân

owns (28g) o flawd codi

2 owns (55g) o fenyn

un ŵy

un afal cwcio mawr

Yr addurn

ychydig o gnau almon heb eu crwyn ac wedi eu tostio

siwgr eisin

sudd lemwn neu ddŵr

Popty 200°C | Ffan 180°C | Nwy 6

1 Curwch y menyn a'r siwgr gyda'i gilydd yn drwyadl. Ychwanegwch yr almonau mâl, y blawd, yr ŵy a'r nodd almon.

2 Torrwch y toes yn ei hanner a rholio'r ddau allan yn ddarnau hirsgwar 12 x 5" yr un (30 x 13cm). Gosodwch un darn ar dun pobi.

3 Taenwch y llenwad almon dros y darn toes hwn hyd at fodfedd (2.5cm) o'r ymylon.

4 Pliciwch a sleisiwch yr afal yn denau a'i osod ar ben y llenwad almon.

5 Brwsiwch ychydig o ddŵr o amgylch ymylon y toes ac yna gosodwch y darn toes arall dros y llenwad. Gofalwch fod y darnau toes yn glynu yn ei gilydd o amgylch yr ymylon rhag ofn i'r llenwad lifo allan.

6 Marciwch wyneb y toes â chyllell i wneud patrwm cris-croes.

7 Pobwch ar y tun pobi am 20–30 munud neu nes y bydd y crwst yn felyn frown.

8 *Yr addurn*. Cymysgwch siwgr eisin efo sudd lemwn neu ddŵr oer i wneud eisin gweddol denau. Diferwch hwn yn llinellau igam-ogam dros wyneb y gacen ac yna gwasgarwch ychydig o'r cnau almon dros yr eisin.

9 Bwytewch yn boeth neu'n oer gyda hufen. Gyda llaw, mae hon yn rhewi'n dda.

FFLAN AFAL A SBEIS

Y crwst

7 owns (200g) o flawd plaen

4 owns (115g) o fenyn

croen un lemwn wedi ei ratio'n fân

Y llenwad

pwys (450g) o afalau bwyta wedi eu plicio a'u chwarteru; torrwch y galon allan

4 owns (115g) o farsipán wedi ei ratio

un ŵy wedi ei guro

llond llwy de o sbeis cymysg

2 lond llwy fwrdd o siwgr gwneud jam (heb bectin wedi ei ychwanegu) neu defnyddiwch siwgr lwmp wedi ei falu'n fras

Popty 200°C | Ffan 180°C | Nwy 6

1. Gogrwch y blawd i bowlen a rhwbiwch y menyn a'r croen lemwn i mewn iddo nes y bydd y gymysgfa'n friwsionllyd.

2. Ychwanegwch 2–3 llond llwy fwrdd (30–45ml) o ddŵr oer a heliwch y cyfan at ei gilydd yn does. Tylinwch yn ysgafn a rhowch mewn bag plastig yn yr oergell am tua hanner awr.

3. Rholiwch y toes allan a leiniwch dun fflan 9" (23cm) gyda gwaelod rhydd iddo. Gofalwch fod y toes yn dilyn ymylon rhychiog y tun (os mai tun felly sydd gennych) ac yn yr un modd yn gorwedd yn dynn a gwastad ar waelod y tun. Yna dilynwch y cyfarwyddiadau manwl sydd yn *Crwst fflan* ym mhennod *Briwsion*.

4. Trowch wres y popty i lawr i 190°C (Ffan 170°C, Nwy 5).

5. I wneud y llenwad, sleisiwch yr afalau yn eithriadol o denau, neu eu gratio, a chymysgwch mewn powlen gyda'r marsipán wedi ei ratio. Os mynnwch, gallwch ychwanegu ychydig o nodd almon at y llenwad er mwyn cyfoethogi'r blas.

6. Ychwanegwch yr ŵy wedi ei guro a'i gymysgu'n dda cyn ei osod yn y crwst fflan.

7. Cymysgwch y sbeis a'r siwgr gyda'i gilydd cyn eu sgeintio dros y llenwad. Coginiwch am 35 munud neu nes y bydd yr afalau wedi meddalu. Gweinwch gyda hufen.

TORTE RIWBOB

Pwdin tebyg i *mousse* ar sylfaen o friwsion bisgedi ydi hwn.

Y crwst

6 owns (170g) o siocled

owns (28g) o fenyn

llond llwy fwrdd o surop

8 owns (225g) o fisgedi *digestive* wedi eu malu'n friwsion

2 owns (55g) o gandi pîl

Y llenwad

2 bwys (900g) o riwbob wedi ei dorri'n ddarnau tua modfedd (2.5cm) o hyd

8 owns (225g) o siwgr

hanner owns (15g) o gelatin

6 owns (170g) o *quark* (caws meddal wedi ei wneud o lefrith sgim)

chwarter peint (140ml) o hufen dwbl wedi ei guro'n weddol dew

1 Toddwch y siocled, y menyn a'r surop yn araf iawn (gw. *Toddi siocled*, pennod *Briwsion*) mewn sosban a chymysgwch y briwsion bisgedi a'r candi pîl i mewn iddo. Gwasgwch y gymysgfa dros waelod tun cacen 8" (20cm) gyda gwaelod rhydd iddo. Rhowch yn yr oergell dros dro.

2 Rhowch y riwbob a'r siwgr mewn sosban a'i stiwio nes y bydd bron yn barod, ond cyn i'r darnau golli eu siâp. Yn ofalus, codwch tua hanner y riwbob o'r sudd gyda llwy a thyllau ynddi a'i roi o'r neilltu ar gyfer addurno wyneb y gacen.

3 Gadewch i weddill y riwbob stiwio nes y bydd wedi meddalu'n llwyr. Gwasgarwch y gelatin dros wyneb y riwbob poeth a chymysgwch yn drwyadl i'w ddoddi. Gadewch i'r gymysgfa oeri a phan fydd ar fin setio curwch y *quark* i mewn iddi.

4 Plygwch yr hufen i mewn i'r gymysgfa riwbob yn ofalus. Yna tywalltwch y cyfan dros y sylfaen o fisgedi yn y tun a'i adael mewn lle oer nes y bydd wedi setio.

5 Tynnwch y *torte* o'r tun a'i gosod ar blât. Addurnwch ei hwyneb â'r darnau riwbob a gadwyd. Wrth gwrs, nid oes raid rhoi'r addurn hwn – hebddo, mae'r pwdin yn fwy hufennog.

TORTE SIOCLED 🖋️

Mae ychydig o hon ar y tro yn ddigon.

DIGON I 10

5 llond llwy fwrdd (75ml) o glwcos hylifol

5 llond llwy fwrdd (75ml) o rỳm

pwys (450g) o siocled plaen o safon da (canran coco tua 70%)

peint (570ml) o hufen dwbl

3 owns (85g) o fisgedi *amaretti* wedi eu malu'n friwsion

1   Tynnwch yr hufen allan o'r oergell ryw hanner awr cyn bo'i angen.

2   Irwch dun crwn 9" (23cm) gydag olew a leiniwch y gwaelod efo papur menyn ac iro hwnnw hefyd.

3   Gwasgarwch y bisgedi wedi eu malu dros waelod y tun.

4   Torrwch y siocled yn ddarnau a'i roi gyda'r glwcos a'r rỳm mewn powlen.

5   Rhowch y bowlen i eistedd ar ben sosbanaid o ddŵr sydd yn mudferwi'n ysgafn. Sicrhewch nad yw'r bowlen yn cyffwrdd y dŵr (gw. *Toddi siocled*, pennod *Briwsion*). Yna pan fydd y siocled wedi toddi ac yn berffaith llyfn, cymysgwch yn ofalus a thynnwch oddi ar y gwres a'i adael i oeri am tua 5 munud. Gofalwch nad oes dŵr yn cyffwrdd â'r siocled neu bydd yn siŵr o ddifetha.

6   Mewn powlen arall, curwch yr hufen nes y bydd ar fin tewychu. Plygwch hanner ohono i mewn i'r gymysgfa siocled ac yna plygwch hwn i mewn i weddill yr hufen. Pan fydd popeth wedi ei gymysgu'n drylwyr, rhowch yn y tun am ben y bisgedi mâl. Llyfnwch wyneb y llenwad yn ofalus ac yna gorchuddiwch â *cling film*. Rhowch yn yr oergell dros nos i oeri'n iawn.

7   Pan fyddwch ar fin gweini'r pwdin, llaciwch y *torte* oddi wrth ymylon y tun gyda chyllell, rhowch blât ar ben y tun cacen a throwch y tun drosodd. Efallai y bydd angen rhoi ysgytwad da i'r tun cyn y gwnaiff y *torte* ddisgyn ar y plât â'r bisgedi'n uchaf. Tynnwch y papur menyn. Haenen denau o fisgedi sydd ar wyneb y *torte* ac nid yw'n ei gwneud yn anodd i'w thorri.

8   Gogrwch ychydig o bowdr coco neu siwgr eisin dros wyneb y *torte* cyn ei gweini gyda hufen sengl. Os mynnwch, cymysgwch lwyaid neu ddwy o ddiod *amaretto* i mewn i'r hufen cyn gweini. Hefyd, os nad ydych am ei bwyta'n syth, gellir ei rhewi am fis neu ddau.

O.N. Cyfaddefiad! Er ei bod yn edrych yn llawer mwy deniadol efo'r briwsion *amaretti* ar y top, byddaf yn ei pharatoi yn aml mewn tun a gwaelod rhydd iddo wedi ei iro, ond heb bapur menyn, a'i gwthio allan yn ofalus â'r bisgedi ar y gwaelod. Gadewch waelod y tun oddi tani, sgeintiwch y coco neu'r siwgr eisin drosti, a'i chyflwyno felly ar blât.

CACEN GAWS HUFENNOG 🖋

Mae hon yn costio tipyn i'w gwneud, ond mae'n bwdin i 8 o bobl ac yn werth pob ceiniog.

Crystyn neu waelod y gacen

8 bisged *digestive* wedi eu malu'n fân

2 owns (55g) o fargarîn (neu fenyn)

owns (28g) o siwgr mân neu siwgr brown golau meddal

Gellid dyblu'r cynhwysion i wneud gwaelod mwy trwchus.

Y llenwad

8 owns (225g) o gaws Philadelphia (nid yr un braster isaf)

4 owns (115g) o siwgr eisin

pecyn o Dream Topping (neu Angel Delight) o'ch dewis

tun (tua 410g) o *cherry pie filling*

1 Rhowch y margarîn a'r siwgr i doddi mewn sosban.

2 Ychwanegwch y briwsion bisgedi a chymysgu'r cyfan yn dda.

3 Tywalltwch i dun neu ddysgl fflan 8" (20cm) nes bod y gwaelod wedi ei orchuddio. Paciwch y crystyn hwn i lawr a'i lyfnu â chefn llwy fwrdd. Rhowch yn yr oergell i oeri.

4 Curwch y caws a'r siwgr eisin gyda'i gilydd a thywalltwch y gymysgfa dros y crystyn a'i lledaenu nes bo'r cyfan yn llyfn.

5 Paratowch y Dream Topping yn ôl y cyfarwyddiadau ar y pecyn. Tywalltwch hwn am ben y gymysgfa gaws a'i ledaenu nes y bydd hwn eto yn llyfn.

6 Gorchuddiwch â'r llenwad ceirios a'i rhoi yn yr oergell am o leiaf hanner awr. Gellir ei rhewi at eto.

Cacen gaws cnau cyll

Fel arfer mae cacen gaws yn weddol ddrud i'w gwneud ond mae hon, er yn rhatach, yr un mor flasus â'r lleill ac yn hynod ddidrafferth i'w pharatoi.

2 owns (55g) o fargarîn neu fenyn

4 owns (115g) o fisgedi *digestive* wedi eu malu'n friwsion

owns (28g) o siwgr brown meddal

chwarter peint (140ml) o hufen dwbl

potyn o iogwrt cnau cyll 5 owns (140g)

3 owns (85g) o gaws Philadelphia (nid yr un braster isaf)

2 owns (55g) o siwgr mân

cnau cyll wedi eu rhostio neu eu grilio

ychydig o siocled wedi ei ratio

1   Toddwch y margarîn neu'r menyn a chymysgwch y bisgedi a'r siwgr brown i mewn iddo. Gwasgwch y gymysgfa dros waelod cylch fflan 7" (18cm) a'i llyfnu â chefn llwy fwrdd. Rhowch yn yr oergell i oeri.

2   Cymysgwch yr hufen a'r iogwrt gyda'i gilydd.

3   Curwch y caws a'r siwgr mân gyda'i gilydd ac ychwanegwch yr hufen a'r iogwrt yn raddol. Curwch y cyfan nes y bydd wedi tewychu. Taenwch hwn dros y sylfaen o fisgedi sydd erbyn hyn wedi oeri a chaledu a rhowch yn ôl yn yr oergell i setio.

4   Rhwbiwch y cnau rhwng eich dwylo i dynnu'r croen i ffwrdd ac yna eu malu'n fras. Tynnwch y gacen allan o'r tun fflan a'i haddurno â'r cnau a'r siocled wedi ei ratio – a hufen os mynnwch.

Gellir cael blas gwahanol trwy ddefnyddio iogwrt o fath arall ac addasu'r addurn i weddu i hwnnw.

CACEN GAWS HUFENNOG LEMWN [LL]

DRUD, OND DIGON I 10

Gwaelod y gacen

4 owns (115g) o fisgedi *digestive* wedi eu malu'n fân

2 owns (55g) o fargarîn

owns (28g) o siwgr mân neu siwgr brown golau meddal

Gellid dyblu'r cynhwysion i wneud gwaelod mwy trwchus.

Y llenwad

8 owns (225g) o gaws Philadelphia (nid yr un braster isaf)

tun 170g o laeth cyddwys (o diwb – gw. *Pwyso triog*, pennod *Briwsion*)

croen a sudd 2 lemwn mawr, y croen wedi ei ratio'n fân

chwarter peint (140ml) o hufen dwbl

1 Toddwch y margarîn a'r siwgr mewn sosban, ychwanegwch y briwsion bisgedi a chymysgwch yn dda.

2 Tywalltwch i dun neu ddysgl fflan 8" (20cm) nes bod gwaelod y ddysgl wedi ei gorchuddio. Paciwch y crystyn hwn i lawr a'i lyfnu â chefn llwy fwrdd.

3 Curwch y caws a'r llaeth cyddwys gyda'i gilydd am funud neu ddau ac yna ychwanegwch yr hufen a chroen a sudd y lemwn. Curwch nes bo'r gymysgfa'n llyfn ac yn weddol dew. Tywalltwch am ben y crystyn a'i lledaenu a'i llyfnhau efo cefn llwy fwrdd neu gyllell.

4 Rhowch yn yr oergell am o leiaf hanner awr cyn ei gweini. Gellir ei rhewi at eto os mynnwch.

Ffŵl gwsberins (eirin Mair)

pwys (450g) o gwsberins wedi eu glanhau

2 owns (55g) o siwgr bras euraidd

sudd hanner lemwn

hanner peint (285ml) o hufen dwbl

1 Rhowch y gwsberins, y siwgr a sudd y lemwn mewn sosban a dewch â'r cyfan i'r berw yn araf.

2 Rhowch gaead ar y sosban a'i fudferwi am 5–10 munud (gofalwch nad yw'n berwi drosodd) neu nes y bydd y ffrwyth wedi meddalu ychydig. Yna hylifwch a gadewch iddo oeri ychydig. Os nad ydych yn hoffi bwyta'r hadau, gwthiwch trwy ogr mân i gael gwared arnynt.

3 Chwipiwch yr hufen yn ysgafn cyn ei gymysgu'n ofalus gyda'r *purée* gwsberins. Dyma'r ffŵl.

4 Rhannwch y ffŵl rhwng 4 gwydr neu ddysgl a gweinwch ar unwaith neu rhowch yn yr oergell am awr neu ddwy i oeri cyn ei fwyta.

5 Mae ychydig o siocled wedi ei ratio a'i wasgaru dros y ffŵl yn ychwanegu at y blas. Hefyd, gall cylch bach o goconyt wedi ei liwio'n wyrdd yng nghanol y siocled ychwanegu at y lliw!

FFŴL RIWBOB EFO BLAS ANIS 🄻

DIGON I 4

pwys (450g) o riwbob wedi ei dorri'n ddarnau 2" (5cm)

croen un oren wedi ei ratio

2–3 owns (55–85g) o siwgr *muscovado* brown golau

llond llwy de (5ml) o ddŵr blodau oren

7 owns hylifol (200ml) o hufen dwbl

2 lond llwy de (10ml) o Pernod

1   Rhowch y riwbob, croen yr oren, y siwgr a 3 llond llwy fwrdd (45ml) o ddŵr mewn sosban. Dewch â'r cyfan i'r berw a mudferwch am 5–6 munud nes y bydd y riwbob wedi dechrau meddalu ond heb golli ei siâp.

2   Hidlwch y cwbl i gael gwared â'r sudd ac yna gwnewch *purée* o'r gymysgfa riwbob ar unwaith mewn hylifydd. Peidiwch ag oedi neu fe gollwch y lliw pinc hardd. Gadewch iddi oeri ac ychwanegwch y dŵr blodau oren a'i gymysgu.

3   Chwisgiwch yr hufen yn weddol dew a chymysgwch y Pernod i mewn iddo yn ofalus. Ychwanegwch y *purée* riwbob a'i blygu i mewn yn ofalus i wneud patrymau pinc a gwyn tebyg i batrwm marblen.

4   Gweinwch yn weddol oer mewn gwydrau tal.

PWDIN RIWBOB 🄻

Mae hwn yn debyg i bwdin haf (*summer pudding*) ond defnyddir sbwng treiffl yn lle bara.

DIGON I 4–6 MEWN POWLEN PEINT (570ML)

pwys (450g) o riwbob

2 lond llwy fwrdd (30ml) o ddŵr

2 owns (55g) o siwgr

pecyn o sbwng treiffl (tua 8 darn)

hanner peint (285ml) o hufen dwbl

ychydig o siwgr mân

diferyn neu ddau o nodd fanila

1   Sleisiwch y darnau sbwng treiffl yn eu hanner yn llorweddol (yn eu hyd) a defnyddiwch rai ohonynt i leinio gwaelod ac ochrau'r bowlen. Gofalwch fod y darnau sbwng yn glòs at ei gilydd fel nad oes modd gweld y bowlen rhyngddynt.

2   Sychwch y riwbob ac yna ei sleisio'n ddarnau hanner modfedd (12mm) a'u rhoi mewn sosban gyda'r dŵr a'r siwgr. Dewch â'r gymysgfa i'r berw a'i mudferwi am tua 10 munud i feddalu'r riwbob. Gadewch iddi oeri.

3   Codwch hanner y gymysgfa i mewn i bowlen efo llwy ac yna ei gorchuddio â rhai o'r darnau sbwng treiffl. Gwnewch hyn unwaith eto gan greu haenen arall o'r riwbob a gorffen gyda'r sbwng treiffl fel o'r blaen.

4 Gosodwch blât neu soser am ei ben a rhoi rhywbeth trwm tebyg i becyn cilo o siwgr arno er mwyn gwasgu'r pwdin i lawr. Rhowch yn yr oergell dros nos.

5 Llaciwch y pwdin oddi wrth ochrau'r bowlen gyda chyllell balet wedi ei phoethi mewn dŵr berwedig a throwch y pwdin allan, a'i ben i lawr, ar blât.

6 Chwisgiwch yr hufen, y fanila ac ychydig o siwgr mân gyda'i gilydd nes y bydd wedi tewychu a gorchuddiwch y pwdin gyda hwn.

7 Gellir rhewi'r pwdin yma, ond cyn rhoi'r hufen arno.

Pwdin afal a chrymbl taffi

pwys a hanner (680g) o afalau cwcio wedi eu plicio a'u torri'n fân

chwarter peint (140ml) o hufen sengl

2 owns (55g) o gaws Philadelphia (nid yr un braster isaf)

un ŵy

2–3 owns (55–85g) o siwgr (yn ôl pa mor sur yw'r afalau)

2–3 diferyn o nodd fanila

sudd a chroen un lemwn wedi ei ratio

2 lond llwy fwrdd o flawd corn

Y crymbl taffi

2 owns (55g) o siwgr brown golau meddal

2 owns (55g) o flawd uwd *(porridge oats)*

llond llwy de o bowdr sinamon

2 owns (55g) o flawd plaen

2 owns (55g) o fenyn

Popty   200˚C | Ffan 180˚C | Nwy 6

1   Chwisgiwch yr hufen, y caws a'r ŵy gyda'i gilydd. Ychwanegwch y siwgr, y nodd fanila, croen a sudd y lemwn a'r blawd corn. Chwisgiwch y cyfan eto nes y bydd yn berffaith llyfn.

2   Ychwanegwch yr afalau a chymysgwch y cyfan yn drwyadl. Trosglwyddwch y cyfan i ddysgl weddol fas sy'n addas i'w rhoi yn y popty.

3   I baratoi'r crymbl taffi, cymysgwch y siwgr brown meddal, y blawd uwd, y powdr sinamon a'r blawd gyda'i gilydd. Ychwanegwch y menyn a'i rwbio i mewn orau gallwch nes y bydd yn debyg i friwsion gweddol fras. Gwasgarwch hwn dros y gymysgfa afal yn y ddysgl.

4   Coginiwch y pwdin am tua hanner awr go dda neu nes y bydd yr afalau wedi meddalu a'r crymbl taffi wedi crimpio. Gweinwch yn gynnes neu'n oer gyda hufen wedi ei chwisgio. Os gweinwch yn oer, bydd y crymbl wedi meddalu ychydig ac yn debycach i daffi.

CRYMBL RIWBOB, CYRENS DUON A CHNAU 🍃

Cofiwch na wnaiff bwyta dail riwbob wneud llawer o les i chi! Felly, torrwch hwy'n glir i ffwrdd. Gallwch ddefnyddio llus yn lle cyrens duon os mynnwch.

DIGON I 4

pwys a hanner (680g) o riwbob wedi ei dorri'n ddarnau modfedd (2.5cm) o hyd

hanner pwys (225g) o gyrens duon

2–4 owns (55–115g) o siwgr brown golau *muscovado*

Y crymbl

4 owns (115g) o flawd codi

4 owns (115g) o gnau cyll wedi eu malu'n eithriadol o fân

6 owns (170g) o fenyn wedi ei dorri'n giwbiau bach

4 owns (115g) o siwgr brown golau *muscovado*

Popty 200°C | Ffan 180°C | Nwy 6

1   Cymysgwch y riwbob, y cyrens duon a'r siwgr gyda'i gilydd a rhoi'r gymysgfa mewn dysgl weddol fas wedi ei hiro.

2   I wneud y crymbl, gogrwch y blawd i bowlen ac yna ychwanegwch y cnau cyll a'u cymysgu. Rhwbiwch y menyn i mewn i'r blawd a'r cnau. Ychwanegwch y siwgr a'i gymysgu'n drwyadl.

3   Gosodwch y crymbl ar ben y riwbob a'r cyrens yn y ddysgl gan ei lefelu a'i bwyso i lawr yn ysgafn gyda chefn llwy fwrdd.

4   Gosodwch y ddysgl ar dun pobi a'i goginio am hanner awr neu nes y bydd wedi lled-frownio a'r riwbob wedi meddalu.

Pwdin bara a banana

3–4 tafell o fara menyn heb y crystiau

un i 2 owns (28–55g) o syltanas

un i 2 lond llwy fwrdd o siwgr

un ŵy mawr

hanner peint (285ml) o lefrith

un fanana wedi ei stwnsio efo fforc

nytmeg

Popty 200°C | Ffan 180°C | Nwy 6

1 Torrwch y tafelli bara menyn yn drionglau.

2 Irwch ddysgl beint sydd yn addas i'w rhoi yn y popty.

3 Curwch yr ŵy ar gyfer paratoi'r cwstard. Rhowch y siwgr a'r llefrith mewn sosban, eu cynhesu ychydig a'u hychwanegu at yr ŵy. Cymysgwch yn drwyadl.

4 Gosodwch draean o'r trionglau bara menyn ar waelod y ddysgl gyda'r ochr fenyn at i lawr. Taenwch hanner y stwnsh banana drostynt a gwasgarwch hanner y syltanas drostynt wedyn. Gwnewch hyn oll unwaith eto i greu haenen arall. Rhowch y bara sy'n weddill ar ben y cyfan ond gyda'r ochr fenyn at i fyny y tro hwn.

5 Hidlwch y cwstard dros y cyfan a gratiwch ychydig o nytmeg drosto.

6 Rhowch y ddysgl i sefyll mewn tun sy'n cynnwys ychydig o ddŵr oer. Mae hyn yn arbed i'r cwstard ferwi a cheulo.

7 Rhowch yn y popty am tua hanner awr neu nes y bydd y cwstard wedi setio a'r bara wedi brownio a chrimpio (gw. *Cwstard wedi setio*, pennod *Briwsion*).

BRÛLÉE CEULED LEMWN

Pwdin hawdd a sydyn i'w baratoi ond yn anffodus yn llawn o galorïau – lyfli!

DIGON I 6

twb peint (570ml) o hufen dwbl

8 owns (225g) o geuled lemwn (*lemon curd*)

4–5 llond llwy de o siwgr eisin

1   Chwisgiwch yr hufen mewn powlen go fawr nes y bydd yn weddol stiff, h.y., dim ond prin yn ffurfio pigau wrth i chi godi'r chwisg allan ohono.

2   Cymysgwch y ceuled lemwn i mewn i'r hufen yn ofalus. Rhannwch rhwng 6 dysgl ramecin 3½" (9cm) a defnyddiwch gefn llwy de i'w wneud yn llyfn a gwastad.

3   Rhowch y dysglau yn yr oergell am o leiaf awr neu dros nos os yw'r amser yn caniatáu.

4   Rhowch y gril i boethi. Gogrwch haenen denau o siwgr eisin dros bob ramecin a rhowch o dan y gril am un i 2 funud neu nes y bydd y siwgr wedi brownio a charameleiddio. Gofalwch nad yw'n llosgi. Efallai y bydd angen symud y dysglau o gwmpas ychydig er mwyn i'r siwgr frownio'n wastad dros yr wyneb i gyd. Ond os oes gennych chwythlamp defnyddiwch honno i frownio – mae'n llawer haws na'r gril. Gweinwch ar unwaith.

Gallwch ddefnyddio siwgr mân yn hytrach na siwgr eisin os mynnwch, ond bydd angen mwy ohono. Gwna hyn grystyn mwy trwchus ac o'r herwydd fe gymer ychydig yn hwy i garameleiddio.

TREIFFL LEMWN

4 darn sgwâr o sbwng treiffl

tun 11 owns (315g) o orennau mandarin

tua 170g o laeth cyddwys (gw. *Pwyso triog,* **pennod**
*Briwsion***)**

chwarter peint (140ml) o hufen dwbl

2 lemwn mawr

1   Torrwch y darnau sbwng yn weddol fach a'u
gosod mewn dysgl weddol fas sy'n dal peint a
hanner (850ml).

2   Tywalltwch y sudd o'r tun orennau dros y sbwng
a gosodwch yr orennau'n dwt dros y cyfan ond
cadwch ychydig i addurno.

3   Cymysgwch y llaeth cyddwys, yr hufen a chroen
y lemwn gyda'i gilydd ac ychwanegwch sudd y
lemwn yn raddol.

4   Curwch y gymysgfa nes y bydd wedi tewychu.
Tywalltwch y cyfan dros yr orennau i'w
gorchuddio'n gyfan gwbl a defnyddiwch gefn
llwy fwrdd i'w wneud yn llyfn a gwastad.

5   Addurnwch y treiffl â'r darnau mandarin sydd
dros ben (a siocled hefyd os mynnwch) a'i roi yn
yr oergell nes bo'i angen.

CARAMEL ALASKA

DIGON I 4

3–4 llond llwy fwrdd o almonau mâl

4 sgŵp o hufen iâ

4 sleisen sgwâr o gacen Nadolig neu debyg

2–3 llond llwy fwrdd (30–45ml) o sieri melys

tua 12 coden oren mandarin

3 gwynnwy

6 owns (170g) o siwgr brown golau meddal

siwgr eisin

Popty 230°C | Ffan 210°C | Nwy 8

1 Tacluswch y 4 sgŵp o hufen iâ yn beli. Rhowch yr almonau mâl ar blât a rholiwch y 4 pêl hufen iâ ynddynt i'w gorchuddio. Gosodwch ar blât a'u rhoi yn y rhewgell am hanner awr nes bônt wedi caledu. (Gellir gwneud hyn ymhell o flaen llaw, a'u lapio mewn *cling film* ar ôl iddynt galedu.)

2 Gosodwch y 4 sleisen o gacen, gyda digon o le rhyngddynt, ar dun pobi ar gyfer gwneud 4 pwdin unigol. Diferwch y sieri drostynt ac yna gosodwch y codau oren yn gadwyn i ffurfio cylch ar bob sleisen.

3 Dewch â'r peli o'r rhewgell a gosod un yng nghanol pob cylch. Rhowch yn ôl yn y rhewgell, ar y tun pobi o hyd, tra byddwch yn paratoi'r *meringue*.

4 I baratoi'r *meringue*, rhowch y 3 gwynnwy mewn powlen berffaith lân a chwisgiwch nes bo'r cyfan yn stiff. Ychwanegwch y siwgr fesul llwyaid gan ofalu chwisgio'n dda rhwng pob llwyaid. Erbyn hyn dylai'r *meringue* fod yn sgleiniog a stiff.

5 Tynnwch y tun pobi o'r rhewgell. Gosodwch y *meringue* fesul llwyaid dros y 4 pwdin yn eu tro a'i daenu nes y bydd pob darn o'r pwdinau wedi ei orchuddio. Pobwch am 5 munud nes y bydd y *meringue* wedi dechrau brownio.

6 Trosglwyddwch y pwdinau i blatiau gweini a sgeintiwch siwgr eisin drostynt. Bwytewch ar unwaith.

Malws moes mwy!

Gwaelod y gacen

6 owns (170g) o fisgedi *digestive* wedi eu malu'n friwsion

3 owns (85g) o fenyn neu fargarîn

owns (28g) o siwgr brown meddal

Y llenwad

8 owns (225g) o falws melys pinc a gwyn

4 llond llwy fwrdd (60ml) o lefrith

chwarter llond llwy de o bowdr sinamon

8 owns (225g) o siocled plaen

hanner peint (285ml) o hufen dwbl

2–3 llond llwy fwrdd (30–45ml) o rỳm

2 lond llwy de (10ml) o nodd coffi

siocled gwyn wedi ei ratio i addurno

1 Irwch dun cacen dwfn 8" (20cm) a gwaelod rhydd iddo.

2 *Gwaelod y gacen.* Toddwch y menyn neu'r magarîn mewn sosban, ychwanegwch y siwgr brown a chymysgwch dros wres isel am funud neu ddau. Ychwanegwch y briwsion bisgedi a chymysgwch yn drwyadl. Tywalltwch y gymysgfa i'r tun, ei gwasgu i lawr a'i lefelu â chefn llwy fwrdd.

3 *Y llenwad.* Rhowch y malws melys, y llefrith a'r sinamon mewn sosban a phoethwch y gymysgfa'n araf nes y bydd y malws melys wedi toddi. Bydd angen ei gymysgu'n ofalus drwy gydol yr amser. Tynnwch y sosban oddi ar y gwres a gadewch i'r cynnwys oeri'n gyfan gwbl.

4 Torrwch y siocled yn ddarnau mân a'u rhoi mewn powlen i eistedd dros sosban o ddŵr sy'n mudferwi (gw. *Toddi siocled*, pennod *Briwsion*). Gofalwch nad oes dŵr yn mynd yn agos at y siocled rhag iddo ddifetha. Pan fydd y siocled wedi toddi tynnwch y bowlen oddi ar y sosban a gadewch iddi oeri ychydig.

5 Chwisgiwch yr hufen yn ddigon tew nes y bydd yn dechrau sefyll i fyny'n bigau wrth dynnu'r chwisg allan.

6 Cymysgwch y rỳm a'r nodd coffi i mewn i'r gymysgfa malws melys. Yna plygwch y siocled a'r hufen i mewn iddo'n drylwyr. Tywalltwch i mewn i'r tun, gorchuddiwch gyda *cling film* a rhowch yn yr oergell am ychydig oriau nes y bydd wedi setio.

7 Gwthiwch allan o'r tun gerfydd y gwaelod rhydd, a chyn gweini addurnwch gyda siocled gwyn wedi ei ratio.

IGLW HUFEN IÂ 🌿

DIGON I 4

Y gacen

2 owns a hanner (70g) o flawd plaen

2 owns (55g) o siwgr fanila (h.y., siwgr mân wedi ei
gadw efo coden o fanila ynddo) neu 2 owns (55g) o
siwgr mân a defnyn neu ddau o nodd fanila

2 ŵy

Y meringue

2 lond llwy fwrdd (30ml) o sieri neu sudd ffrwythau

pecyn tri chwarter peint (425ml) o hufen iâ

3 gwynnwy

4 owns (115g) o siwgr mân

Popty   180°C | Ffan 160°C | Nwy 4

1   Paratowch y gacen. Yn gyntaf, chwisgiwch yr
wyau a'r siwgr nes y byddant yn dew iawn.

2   Gogrwch y blawd a'i blygu i mewn yn ysgafn i'r
gymysgfa gan ddefnyddio llwy fwrdd.

3   Tywalltwch i dun cacen sbwng 7" (18cm) crwn
wedi ei iro a'i waelod wedi ei leinio efo papur
menyn.

4   Coginiwch am tua 10–15 munud. Oerwch ar rwyll
oeri a thynnwch y papur i ffwrdd yn ofalus – ei
rwygo fesul tamaid sydd hawsaf.

5   Yn y cyfamser, paratowch y *meringue*. Chwisgiwch
y gwynnwy yn stiff. Plygwch y siwgr i mewn iddo
yn ofalus gan ddefnyddio llwy fwrdd. O hyn allan
rhaid gweithio'n gyflym.

6   Codwch wres y popty i 220°C (Ffan 200°C, Nwy 7).

7   Gosodwch y gacen ar blât go fawr sy'n addas
i'w roi yn y popty a diferwch y sieri neu'r sudd
ffrwythau drosti. Ffurfiwch yr hufen iâ yn dalp
crwn a'i osod ar ganol y gacen fel nad oes ond tua
hanner modfedd ohoni yn y golwg o gwmpas yr
hufen iâ.

8   Gorchuddiwch y gacen a'r hufen iâ yn gyfan gwbl
gyda'r *meringue* a'i selio'n dda fel nad oes dim o'r
gacen na'r hufen iâ yn y golwg.

9   Coginiwch am tua 4 munud nes y bydd gwawr
felen i'r *meringue*. Gweinwch ar unwaith ar blatiau
oer.

SAWS SINSIR AR GYFER HUFEN IÂ

Ni fyddaf yn mynd i'r drafferth i wneud hufen iâ cartref – mae'n anodd iawn ei gael yn berffaith a heb risialau rhew ynddo. Mae llawer iawn o fathau da iawn i'w cael yn y siop y dyddiau hyn ond mae saws wedi ei wneud gartref yn ychwanegiad tra blasus.

2 lond llwy fwrdd wastad o siwgr

4 llond llwy fwrdd (60ml) o ddŵr

llond llwy fwrdd (15ml) o sudd lemwn

potyn o fonion sinsir mewn surop

2 lond llwy fwrdd (30ml) o surop y sinsir

1 Rhowch y siwgr a'r dŵr mewn sosban dros wres isel nes y bydd y siwgr wedi toddi. Dewch ag ef i'r berw a'i ferwi nes y bydd wedi tewychu ychydig, ond gofalwch nad yw'n llosgi. Anelwch at gael ansawdd sydd rywbeth rhwng dŵr a surop.

2 Defnyddiwch dri darn maint nionyn picl o'r sinsir. Torrwch y darnau yn fân, fân a'u hychwanegu at gynnwys y sosban. Ychwanegwch y sudd lemwn a'r surop sinsir, cymysgwch yn dda a gweinwch ar unwaith gyda hufen iâ.

MERINGUE EIRIN GWLANOG

DIGON I 2

2 eirinen wlanog (neu 4 hanner o dun)

croen hanner oren wedi ei ratio'n fân

owns (28g) o almonau mâl

hanner llond llwy de o fêl

un gwynnwy

pinsiad o bowdr hufen tartar

3 llond llwy fwrdd o siwgr mân

Popty 190°C | Ffan 170°C | Nwy 5

1 Torrwch yr eirin gwlanog yn eu hanner a thynnwch y cerrig allan ohonynt.

2 Defnyddiwch lwy de i wneud y twll lle bu'r garreg ychydig yn fwy trwy grafu ychydig o'r ffrwyth allan ond gofalwch beidio â difetha siâp y ffrwyth.

3 I wneud stwffin i lenwi'r tyllau lle bu'r cerrig, cymysgwch yr ychydig ffrwyth a grafwyd allan, y croen oren, yr almonau mâl a'r mêl gyda'i gilydd a'i osod yn y tyllau.

4 I wneud y *meringue*, chwisgiwch y gwynnwy a'r hufen tartar gyda'i gilydd nes y bydd yn sefyll i fyny'n bigau bach pan godwch y chwisg allan ohono. Ychwanegwch y siwgr a chwisgiwch eto nes y bydd yn stiff.

5 Gosodwch yr haneri eirin a'u stwffin ar ddysgl sy'n addas ar gyfer gwres popty. Peipiwch neu gosodwch y *meringue* dros y stwffin almon i'w orchuddio. Gallwch wasgaru ychydig o gnau almon drostynt os mynnwch. Coginiwch am 10 munud neu nes y bydd y *meringue* wedi dechrau crimpio a melynu.

CREMPOGAU

Yn groes i bopeth a ddysgwyd i mi, fe fyddaf yn defnyddio blawd codi yn hytrach na blawd plaen i wneud crempog oherwydd bod y grempog yn llawer iawn mwy brau. Hefyd, mewn hylifydd (popeth efo'i gilydd) y byddaf yn paratoi'r cytew ond cynigiaf y dull arferol o gymysgu yma yn 1, 2, 3 a 4 isod.

DIGON I WNEUD TUA 24 O GREMPOGAU

8 owns (225g) o flawd codi

3–4 ŵy (yn ôl eu maint)

peint (570ml) o lefrith

2 owns (55g) o fenyn neu fargarîn wedi ei doddi

1   Gogrwch y blawd i bowlen fawr.

2   Ychwanegwch yr wyau a dechreuwch gymysgu. Yna ychwanegwch y llefrith yn raddol. Chwisgiwch y cyfan yn dda.

3   Crafwch o amgylch ochrau'r bowlen i wneud yn siŵr nad oes darnau o flawd heb eu cymysgu i mewn yn iawn ac yna chwisgiwch eto.

4   Pan fyddwch ar fin cychwyn ffrio'r crempogau, ychwanegwch y menyn wedi ei doddi a chymysgwch y cytew yn drwyadl.

5   Dewiswch badell addas ar gyfer eu ffrio. Ni ddylai fod yn fwy na 7" (18cm) ar ei thraws. Mewn padell fwy, mae crempog yn anodd i'w throi drosodd (neu ei thaflu) heb iddi dorri.

6   Nid oes angen iro gormod ar y badell – toddwch ddarn bach o saim ynddi tra byddwch yn ei phoethi cyn cychwyn ffrio pob crempogen. Ni ddylai crempog ffrio mewn môr o saim!

7   Ffriwch y crempogau – bydd tua dwy lond llwy fwrdd o gytew yn hen ddigon i orchuddio gwaelod y badell boeth. Er mwyn sicrhau bod y cytew yn gorchuddio holl waelod y badell yn wastad, symudwch y badell o ochr i ochr cyn ei rhoi'n ôl ar y gwres. Mae'n haws gen i ei dywallt o jwg, gyda'r badell mewn un llaw a'r jwg yn y llall. Fel hyn, mae'n haws symud y badell o ochr i ochr.

8   Ar ôl tua munud bydd y grempogen yn barod i'w throi drosodd i'w ffrio am gyfnod byr ar yr ochr arall.

9   Gellir cadw'r twmpath o grempogau sydd wedi eu ffrio'n barod yn gynnes trwy eu gosod ar blât ar ben sosban o ddŵr sy'n mudferwi. Gorchuddiwch y crempogau gyda chaead y sosban neu ddysgl addas. Wrth gwrs, gellir hefyd ailgynhesu crempogau yn effeithiol iawn yn y popty gwyllt (*microwave*).

10 Os byddaf yn paratoi pentwr o grempogau byddaf yn rhoi cylch o bapur menyn, ychydig yn fwy na'r crempogau, rhwng pob 12 crempog cyn eu lapio i gyd mewn ffoil a'u rhoi mewn bag plastig a'u rhewi. Gallaf wedyn estyn y crempogau fesul dwsin fel bo'r gofyn a'u dadmer a'u cynhesu.

PAFLOFA

3 gwynnwy mawr

6 owns (170g) o siwgr mân

hanner peint (285ml) o hufen dwbl

12 owns (340g) o ffrwythau o'ch dewis

ychydig o siwgr eisin

Popty 150°C | Ffan 130°C | Nwy 2

1 Trowch y popty ymlaen i'r gwres a nodir.

2 Paratowch y tun pobi drwy ei iro a'i leinio â phapur menyn neu bapur silicon.

3 I wneud y *meringue,* chwisgiwch y gwynnwy nes y bydd yn weddol stiff – yn ddigon stiff i chi fedru dal y bowlen a'i phen i lawr heb i'r gwynnwy ddisgyn allan! Ond mae'n bwysig nad ydych yn gor-chwisgio rhag iddo fynd yn llipa yn ei ôl.

4 Ychwanegwch y siwgr un llwyaid ar y tro (llwy fwrdd) a'i chwisgio i mewn yn drylwyr ar ôl bob ychwanegiad. Wedi gwneud hyn dylai'r *meringue* fod yn stiff ac yn sgleiniog.

5 Gosodwch y *meringue* ar y tun pobi yn 'gacen' gron 8" (20cm) ar ei thraws. Dylai ymyl allanol y cylch fod ychydig yn uwch na'r canol.

6 Rhowch y tun yn y popty a throwch y gwres i lawr i 140°C (Ffan 120°C, Nwy 1). Coginiwch am awr. Trowch y gwres i ffwrdd ond gadewch y paflofa yn y popty nes y bydd wedi oeri'n llwyr. Gellir paratoi hon fin nos a'i gadael yn y popty dros nos i oeri'n iawn. Mae hyn yn 'sychu'r' *meringue* yn llwyr.

7 Pliciwch y papur oddi ar y paflofa a'i gosod ar blât gweini. Chwisgiwch yr hufen yn weddol stiff a'i osod dros wyneb y paflofa heb fynd yn rhy agos at yr ymyl. Gosodwch ffrwythau fel mafon, mefus, ciwi ac ati ar yr hufen a pheipiwch ragor o hufen o'i chwmpas os mynnwch. Gogrwch siwgr eisin drosti cyn ei gweini.

8 Os mynnwch, defnyddiwch yr un cynhwysion i wneud 6 paflofa fechan, un i bob person.

CREMPOGAU OREN

Dull gwahanol o wneud crempog gyda llenwad blas oren.

DIGON I 4

5 owns (140g) o flawd codi

2 felynwy

owns (28g) o siwgr

olew i ffrio

hanner peint (285ml) o lefrith

2 wynnwy

owns (28g) o fenyn neu fargarîn

Y llenwad

2 owns (55g) o fenyn neu fargarîn

2 owns (55g) o siwgr mân

sudd a chroen (wedi ei ratio) un oren

croen hanner lemwn wedi ei ratio

Popty 190°C | Ffan 170°C | Nwy 5

1 I wneud y cytew, gogrwch y blawd i mewn i bowlen a rhwbiwch y menyn neu'r margarîn i mewn iddo.

2 Ychwanegwch y llefrith yn araf a'i guro'n dda. Cymysgwch y siwgr a'r melynwy i mewn i'r cytew.

3 Curwch y gwynnwy yn stiff ac yna ei blygu i mewn i'r gymysgfa'n ysgafn. Defnyddiwch lwy fwrdd i wneud hyn.

4 Poethwch ychydig o olew mewn padell ffrio 7" (18cm) a thywalltwch ddigon o gytew i roi gorchudd tenau dros waelod y badell. Ffriwch y grempogen, ac ar ôl iddi led-frownio trowch hi drosodd a ffriwch yr ochr arall yn yr un modd. Dylai hyn wneud 8–10 crempog. Gadewch iddynt oeri.

5 Ar gyfer y llenwad curwch y menyn a'r siwgr mân gyda'i gilydd nes bod y gymysgfa'n ysgafn.

6 Cymysgwch y sudd oren i mewn yn raddol gan guro'r gymysgfa'n dda. Ychwanegwch y croen oren a'r croen lemwn a chymysgwch y cyfan yn drwyadl.

7 Rhowch lwyaid o'r llenwad ar bob crempog a'i daenu drostynt. Plygwch nhw yn eu hanner ac yna yn eu hanner eto i wneud siâp triongl.

8 Gosodwch y crempogau siâp triongl mewn dysgl weddol fas. Rhowch dalpiau bychain o fenyn neu fargarîn ar ben pob triongl a gosodwch ffoil neu gaead ar y ddysgl i arbed iddynt sychu.

9 Rhowch y crempogau yn y popty nes y byddant wedi ailgynhesu a'r llenwad wedi toddi (20–30 munud). Bwytewch gyda hufen iâ neu hufen.

CACEN GORON 🖋️

Crwst *choux* yw sylfaen y gacen hon gyda chnau almon drosti i gyd. Yr hufen yw'r unig eitem ddrud yn y risêt ac mae'n hawdd a sydyn i'w gwneud.

DIGON I 4

2 owns (55g) o flawd plaen

owns (28g) o fargarîn

chwarter peint (140ml) o ddŵr

un ŵy mawr

un melynwy

owns (28g) o gnau almon heb eu crwyn

hanner llond llwy de (2.5ml) o nodd fanila

twb mawr 300ml (tuag 11 owns hylifol) o hufen dwbl

llond llwy bwdin wastad o siwgr mân

siwgr eisin

Popty 220°C | Ffan 200°C | Nwy 7

1 Irwch dun pobi ac yna daliwch y tun o dan y tap dŵr oer am eiliad neu ddwy. Yna trowch y tun â'i ben i waered a churwch yn ysgafn i ysgwyd y rhan fwyaf o'r dŵr oddi arno. (Pwrpas cael ychydig o ddafnau o ddŵr ar y tun yw creu stêm yn y popty sy'n help i'r crwst godi.) Gogrwch ychydig o flawd dros waelod y tun. Defnyddiwch dun cacen 6–7" (16–18cm) ar ei draws i wneud marc cylch yn y blawd ar y tun pobi.

2 Gogrwch y 2 owns o flawd ar blât bach.

3 Rhowch y margarîn a'r dŵr mewn sosban weddol fach dros wres isel a gadewch i'r margarîn doddi'n raddol. Pan fydd y margarîn wedi toddi a'r dŵr yn dechrau berwi, tynnwch y sosban oddi ar y gwres ac ychwanegwch y blawd i gyd. Cymysgwch y blawd i mewn i'r dŵr a'r margarîn a churwch y gymysgfa'n gyflym a thrylwyr gyda llwy bren nes y bydd wedi ffurfio pelen o bast *choux*. Ni ddylai dim o'r gymysgfa fod ar ôl ar ochrau'r sosban. Gadewch i'r belen bast oeri ychydig.

4 Curwch yr ŵy a'r melynwy gyda'i gilydd ac yna ychwanegwch yn raddol at y past yn y sosban. Gofalwch beidio ag ychwanegu gormod o'r ŵy ar y tro, a bydd angen curo'r gymysgfa yn dda ar ôl pob llwyaid o'r ŵy.

5 Rhowch y past mewn cwdyn peipio a pheipiwch ei gynnwys i gyd yn gylch trwchus o gwmpas y marc a wnaethoch ar y cychwyn gyda'r tun cacen 7" (18cm). Bydd yn edrych fel tiwb olwyn beic di-siâp ar y funud ond peidiwch â phoeni, fel hyn y dylai fod!

6 Gwasgarwch y cnau almon dros y cyfan.

7 Rhowch yn y popty ac ar ôl 10 munud trowch wres y popty i lawr i 190°C (Ffan 170°C, Nwy 5) am 25–30 munud arall. Peidiwch ag agor drws y popty tra bo'r gacen ynddo.

8 Dylai lliw'r gacen fod yn frown golau pan fydd wedi pobi.

9   Tynnwch hi allan o'r popty a gwnewch hollt bach yn ei hochr gyda chyllell fain, finiog i adael i'r stêm ddod allan ohoni – mae hyn yn cadw'r gacen rhag meddalu'n ormodol. Rhowch hi'n ôl yn y popty am 2–3 munud i 'sychu' rhagor.

10 Gadewch iddi oeri ar rwyll oeri.

11 Torrwch y gacen yn ei hanner yn llorweddol. Rhowch y cylch uchaf ar un ochr am y tro.

12 Chwipiwch yr hufen, y fanila a'r siwgr gyda'i gilydd nes y bydd y cyfan yn dew, ond peidiwch â'u gor-chwipio rhag i'r hufen geulo.

13 Rhowch yr hufen yn ofalus ar gylch gwaelod y gacen gyda llwy neu ei beipio.

14 Gosodwch fefus neu unrhyw ffrwyth arall yn yr hufen a gosodwch hanner uchaf y gacen yn ôl ar ben yr hufen a sgeintiwch siwgr eisin dros y cyfan.

PWDIN TAFFI 🖋

Hwn yw'r peth agosaf i nefoedd ar y ddaear – hyd yn oed os nad ydych yn hoff o bethau melys. Pwdin taffi yn nofio mewn môr o hufen – 'does dim byd tebyg, ond peidiwch â chael eich temtio i gymryd darn rhy fawr! Hwn, yn yr iaith fain, yw'r pwdin *sticky toffee*.

Y pwdin

3 owns (85g) o fenyn gweddol feddal

5 owns (140g) o siwgr mân

2 ŵy (maint canolig) wedi eu curo

6 owns (170g) o flawd codi wedi ei ogru

6 owns (170g) o ddatys heb y garreg, wedi eu malu'n weddol fân

hanner peint (285ml) o ddŵr berwedig

hanner llond llwy de o nodd fanila

2 lond llwy de (10ml) o nodd coffi

tri chwarter llond llwy de o garboned soda

Y saws

6 owns (170g) o siwgr brown meddal

4 owns (115g) o fenyn

6 llond llwy fwrdd (90ml) o hufen dwbl

Tun cacen 8" (20cm) sgwâr, 3" (7.5cm) o ddyfnder, wedi ei iro

Popty 180˚C | Ffan 160˚C | Nwy 4

1   Rhowch y datys mâl mewn powlen a thywalltwch y dŵr berwedig drostynt. Ychwanegwch y nodd fanila, y nodd coffi a'r carboned soda, ei gymysgu a'i roi o'r neilltu am y tro.

2   Rhowch y menyn a'r siwgr mân mewn powlen go fawr a churwch y cyfan yn dda nes y bydd yn ysgafn ac wedi gwynnu. Cymysgwch yr wyau wedi eu curo i mewn yn raddol a churwch yn drwyadl.

3   Gan ddefnyddio llwy fwrdd, plygwch y blawd yn ysgafn a gofalus i mewn i'r gymysgfa.

4   Ychwanegwch y gymysgfa ddatys (gan gynnwys yr hylif) a'i phlygu i mewn gan ddefnyddio llwy fwrdd. Erbyn hyn bydd y gymysgfa'n hollol slwtshlyd ond dyma sut y dylai fod er mwyn gwneud pwdin ysgafn. Tywalltwch i'r tun a'i lefelu â chefn llwy fwrdd os bydd angen.

5   Coginiwch am 50–55 munud nes y bydd y pwdin wedi codi a brownio.

6   I wneud y saws taffi, rhowch yr holl gynhwysion mewn sosban a'u cynhesu'n araf a gofalus nes y bydd y siwgr wedi llwyr doddi. Dylid troi'r taffi'n weddol aml â llwy bren.

7 Pan fydd y pwdin yn barod, defnyddiwch fforc a phigau go drwchus iddi i wneud tyllau bach dyfnion dros holl wyneb y pwdin. Yna tywalltwch y taffi poeth drosto. Rhowch yn ôl yn y popty nes y bydd peth o'r taffi wedi suddo i'r pwdin drwy'r tyllau a'r gweddill yn dechrau ffrwtian ar yr wyneb. Mae'r pwdin rŵan yn barod!

8 Torrwch y pwdin yn ddarnau sgwâr a'u gweini gyda hufen. Mae'n rhewi'n dda hefyd os mynnwch ei gadw at eto.

Blas y Nadolig

Yn y gegin, mae bore'r Nadolig yn gyfnod prysur a'r sieff dan bwysau mawr! Felly, peidiwch da chi ag arbrofi efo dim byd newydd.

Rhowch drefn ar eich bore a chadwch bethau'n syml. Ond mi fedrwch wneud y pryd yn fwy diddorol trwy ychwanegiadau bychain – er enghraifft, cymysgwch hadau carwe (*caraway*) efo'r moron a gweini cnau almon wedi eu tostio efo'r sbrowts.

Os nad oes grefi da gennych, di-flas fydd y pryd. Y gyfrinach ydi crafu'r sgrwtsh oddi ar waelod y tun twrci a'i gynnwys yn y grefi efo stoc da wedi ei baratoi trwy ferwi'r corn gwddf, y galon a'r iau ac ati.

Yn bwysicach na dim, os mai deryn wedi ei rewi sydd gennych, gwnewch yn siŵr ei fod yn dod o'r rhewgell ddiwrnod go dda ymlaen llaw. Mae cymaint wedi gorfod gohirio'r cinio tan yn hwyr yn y dydd gan nad yw'r deryn wedi dadmer!

HWYADEN AT Y NADOLIG

Dyma'r hyn a ddywed Mrs Beeton am y ceiliog hwyaden: 'Yn y gwyllt mae'r barlat yn ŵr ffyddlon, ond unwaith y mae'n cael ei ddofi, dyw bod yn berchen ar 10–12 o wragedd yn ddim problem iddo!'

Mae un hwyaden yn ddigon i 4 os yw pawb yn fodlon ei rhannu'n chwarteri. Os na, prynwch ddwy hwyaden a dyblwch gynhwysion y saws.

hwyaden 6 phwys (2.7cg)

Y saws

croen hanner lemwn wedi ei ratio

chwarter peint (140ml) o win coch

tun o *cherry pie filling*

Popty 220˚C | Ffan 200˚C | Nwy 7

1 Gyda fforc ymhob llaw ewch ati i drywanu croen yr hwyaden drosti yn drylwyr er mwyn i'r saim lifo allan ohoni wrth ei rhostio. Rhwbiwch ychydig o halen a phupur dros y croen. Mae hyn yn help i grimpio'r croen.

2 Rhowch yr hwyaden i orwedd, y frest ar i fyny, ar ffrâm y gril neu un arbennig ar gyfer rhostio, a'i gosod ar y tun cig (yn ystod y rhostio bydd y saim yn diferu o'r hwyaden i'r tun cig).

3 Rhowch yn y popty ac ar ôl 20 munud trowch y gwres i lawr i 180˚C (160˚ Ffan, Nwy 4) a rhostiwch am tua 3 awr nes bod y cig yn frau a'r croen yn grimp.

4 I wneud y saws, rhowch gynnwys y tun ceirios, y gwin a chroen y lemwn mewn sosban i gynhesu. Cymysgwch â llwy bren a dewch â'r cyfan i'r berw cyn ei dywallt i jwg neu lestr addas.

5 Mae cyllell fara dda gydag ymyl ddanheddog yn well na chyllell gig ar gyfer rhannu'r hwyaden yn chwarteri. Mae rhai yn defnyddio siswrn arbennig at y gwaith ond gwell gen i'r gyllell fara.

Brest cyw iâr (neu dwrci) wedi ei stwffio

I'r sawl sy'n coginio ar gyfer un neu ddau yn unig yn ystod y Nadolig, a dim llawer o chwant cael sgerbwd yr hen dwrci o gwmpas y lle am ddyddiau, dyma gynnig rhywbeth ychydig bach yn ysgafnach i chi.

Digon i 2

2 frest cyw iâr (neu dwrci) heb y croen

llond llwy fwrdd (15ml) o olew olewydd

llond llwy fwrdd (15ml) o sudd lemwn

2 binsiad o saets neu daragon wedi ei sychu

pupur a halen

un i 2 owns (28–55g) o geirios y wern wedi eu sychu

2 sleisen o gig moch

ychydig o gaws Edam neu Gouda os mynnwch

Popty 150°C | Ffan 130°C | Nwy 2

1 Sleisiwch 'boced' yn y ddwy frest cyw iâr ac yna eu llenwi â cheirios y wern.

2 Gosodwch y cig moch dros y cig.

3 Gosodwch y ddau ddarn cyw iâr wedyn ochr yn ochr mewn dysgl neu dun gweddol fas.

4 Cymysgwch yr olew, pupur du a halen, y sudd lemwn a'r saets (neu'r taragon) gyda'i gilydd a'u tywallt dros y cig yn y ddysgl.

5 Os ydych am ddefnyddio caws, sleisiwch dafelli tenau o Edam neu Gouda a'u gosod dros y cig.

6 Rhowch gaead ar y ddysgl (neu ffoil) a choginiwch am 45–60 munud. Ni ddifethir y cig o'i goginio am ychydig yn hwy.

7 Tynnwch y caead oddi ar y ddysgl a rhowch o dan y gril am funud neu ddau, os mynnwch, i frownio mwy.

RHOLIAU TWRCI A HAM

Dyma risêt sy'n hawdd i'w haddasu pa nifer bynnag o westeion sydd gennych – defnyddiol ar gyfer y Nadolig pan fo twrci cyfan neu hyd yn oed gyw iâr yn ormod gan ambell deulu. Mae'n bryd sydyn iawn i'w baratoi.

DIGON I 4

4 darn o dwrci neu 4 brest cyw iâr tua 5 owns (140g) yr un

2 ewin garlleg wedi eu malu

sudd a chroen un lemwn wedi ei ratio

2 lond llwy fwrdd o gennin syfi (neu basil) wedi eu malu

4 tafell o gig moch wedi ei fygu neu ham Parma

2 lond llwy fwrdd (30ml) o olew olewydd

pupur a halen

1 Sleisiwch bob un o'r darnau cig yn llorweddol, yn eu hyd, nes eu bod bron yn eu hanner, a'u hagor fel llyfr! Sgeintiwch bupur a halen dros hanner dde'r cig, yna'r cennin syfi neu'r basil, y garlleg a chroen y lemwn. Codwch hanner chwith y cig dros y llenwad i gau'r 'llyfr' yn ei ôl.

2 Lapiwch sleisen o'r cig moch neu'r ham Parma o amgylch y cig. Gwthiwch sgiwer fechan neu ffon goctel drwy'r cig i'w ddal yn ei le ac i wneud yn siŵr nad yw'r stwffin yn dod allan.

3 Poethwch yr olew mewn padell ffrio a ffrio'r cig am tua 5–6 munud nes y bydd wedi brownio. Trowch y cig drosodd a diferwch y sudd lemwn drosto. Ffriwch y cig am 10–12 munud arall neu nes y bydd wedi coginio'n drwyadl ond heb galedu a sychu. Gweinwch gyda llysiau o'ch dewis neu gyda salad a phasta.

Stwffin cnau castan

Mae'r risêt yma, yn ogystal â bod yn gyfrwng i stwffio pen blaen y twrci, yn gwneud *pâté* gwerth chweil hefyd.

DIGON AR GYFER STWFFIO TWRCI 8–10 PWYS (3.6–4.5cg)

tun 8 owns (225g) o *purée* cnau castan heb ei felysu

owns a hanner (40g) o fenyn

3 nionyn wedi eu torri'n fân

12 owns (340g) o gig selsig porc

un ŵy wedi ei guro

llond llwy de a hanner wastad o halen

hanner llond llwy de wastad o bupur

2 lond llwy fwrdd (30ml) o sieri sych

Popty 200˚C | Ffan 180˚C | Nwy 6 (ar gyfer y *pâté*)

1 Toddwch y menyn mewn sosban, ychwanegwch y nionod a'u ffrio nes y byddant wedi meddalu.

2 Ychwanegwch y cynhwysion eraill i gyd a'u cymysgu'n drwyadl. Gadewch i'r stwffin oeri cyn ei stwffio o dan groen y gwddf i lenwi o gwmpas bôn y corn gwddf. Defnyddiwch stwffin arferol, fel stwffin saets a nionyn, i lenwi corff y twrci.

3 I wneud *pâté* o'r gymysgfa, irwch ddau dun bara pwys (450g) neu ddysglau bach sy'n dal gwres popty. Llenwch efo'r gymysgfa a llyfnwch wyneb y *pâté* â chefn llwy fwrdd wleb – mae'r dŵr yn cadw'r *pâté* rhag glynu yn y llwy. Gorchuddiwch â ffoil a phobwch am dri chwarter awr.

PUM SAWS AT Y NADOLIG

SAWS AFAL A SEIDR (I'R ŴYDD)

pwys a hanner (680g) o afalau cwcio wedi eu plicio a'u sleisio

croen un lemwn wedi ei ratio'n fân

4 llond llwy fwrdd (60ml) o seidr sych neu felys yn ôl eich dewis

llond llwy fwrdd a hanner o siwgr

owns (28g) o fenyn

1   Rhowch yr afalau, y seidr a'r croen lemwn mewn sosban.

2   Rhowch gaead ar y sosban a stiwiwch y cynhwysion nes y bydd y cyfan wedi meddalu'n slwtsh. Curwch nes y bydd yn llyfn.

3   Ychwanegwch y siwgr a'r menyn a'i guro'n drwyadl. Gweinwch tra bo'n boeth.

SAWS BARA

4 clof

un nionyn cyfan wedi ei blicio

un ddeilen llawryf

peint (570ml) o lefrith

4 owns (115g) o friwsion bara gwyn ffres

owns (28g) o fenyn

hanner llond llwy de o halen

pupur du

hanner llond llwy de o nytmeg wedi ei ratio

1   Gwthiwch y clofs i mewn i'r nionyn yma ac acw. Rhowch y nionyn mewn sosban gyda'r ddeilen llawryf a'r llefrith. Dewch â'r cyfan i'r berw.

2   Tynnwch y sosban oddi ar y gwres a gadewch iddo fwydo am chwarter awr.

3   Ychwanegwch y briwsion bara, y menyn, y pupur, yr halen a'r nytmeg.

4   Coginiwch dros wres isel am chwarter awr. Dylid ei droi yn awr ac yn y man.

5   Tynnwch y nionyn, gan gynnwys y clofs, a'r ddeilen llawryf allan a'u taflu. Cymysgwch y saws yn drwyadl a gweinwch tra bo'n boeth.

SAWS MWSTARD (I'R HAM)
Risêt ar gyfer y popty gwyllt, 800 watt (*microwave*)

2 ŵy

2 lond llwy fwrdd o bowdr mwstard

2 lond llwy fwrdd o siwgr mân

8 llond llwy fwrdd (120ml) o lefrith

8 llond llwy fwrdd (120ml) o finegr brag

4 llond llwy de (20ml) o sudd lemwn

pupur a halen

1   Curwch yr wyau, y mwstard a'r siwgr gyda'i gilydd mewn powlen.

2 Ychwanegwch a chymysgwch y llefrith yn raddol ac yna'r finegr yn yr un modd.

3 Coginiwch yn y popty gwyllt, heb orchudd, am 8–9 munud ar *defrost* a chymysgwch ddwywaith yn ystod y cyfnod yma.

4 Tynnwch allan o'r popty, ychwanegwch y sudd lemwn a'r pupur a halen a chymysgwch yn drwyadl. Gweinwch tra bo'n boeth.

SAWS GWSBERINS (EIRIN MAIR)

I'w weini gyda gŵydd neu hwyaden

8 owns (225g) o gwsberins (y coesau a'r blaenau wedi eu torri i ffwrdd)

chwarter peint (140ml) o seidr sych neu win gwyn sych

2 lond llwy fwrdd o siwgr

chwarter llond llwy de o bowdr mês

owns (28g) o fenyn wedi ei dorri'n ddarnau bychain

1 I'w meddalu, mudferwch y gwsberins yn y seidr neu'r gwin gyda'r mês a'r siwgr.

2 Hylifwch y cwbl neu gwthiwch drwy ogr. Tywalltwch i sosban lân. Ychwanegwch y menyn a chymysgwch yn drwyadl. Mae'r saws yn barod i'w weini yn awr. Gweinwch yn boeth neu'n oer yn ôl eich dewis.

SAWS CEIRIOS Y WERN (I'R TWRCI)

pwys (450g) o geirios y wern

6 owns (170g) o siwgr mân

chwarter peint (140ml) o ddŵr

1 Rhowch y dŵr a'r siwgr mewn sosban a'i gynhesu'n araf i doddi'r siwgr.

2 Ychwanegwch y ceirios a dewch â'r cyfan i'r berw. Rhowch gaead ar y sosban a throwch y gwres i lawr. Gadewch i'r saws ffrwtian am tua 10 munud neu nes y bydd y ceirios wedi meddalu. Dylid ei gymysgu o dro i dro rhag iddo lynu yng ngwaelod y sosban, ond gofalwch beidio â malu'r ffrwyth.

3 Codwch unrhyw sgum oddi ar wyneb y saws cyn ei weini.

GREFI BLASUS

Dull yw hwn i baratoi grefi lle nad oes llawer o sudd, neu 'sgrwtsh', yng ngwaelod y tun ar ôl rhostio darn bychan o dwrci.

owns (28g) o fenyn

un nionyn wedi ei blicio a'i dorri'n fân

sbrigyn o deim ffres neu binsiad go dda o deim sych

2 ddeilen llawryf sych wedi eu malu'n fras

2 lond llwy fwrdd o flawd plaen

peint (570ml) o stoc twrci

llond llwy fwrdd o jeli cyrens coch

pupur a halen

llond llwy fwrdd o Madeira neu sieri sych

4–5 llond llwy fwrdd (60–75ml) o'r sudd fydd yn y tun cig ar ôl rhostio'r darn o dwrci – peidiwch â golchi'r tun!

1   Toddwch y menyn mewn sosban a ffriwch y nionyn, y teim a'r dail llawryf i frownio ychydig ar y nionyn.

2   Ychwanegwch y blawd a'i goginio am 2–3 munud. Dylid ei droi drwy'r amser nes y bydd y blawd wedi melynu (gw. *Roux*, pennod *Briwsion*).

3   Tynnwch oddi ar y gwres. Ychwanegwch y stoc yn raddol ynghyd â gweddill y cynhwysion (heblaw am y Madeira neu'r sieri) a'i fudferwi nes y bydd wedi tewychu. Dylid ei droi yn awr ac yn y man.

4   Hidlwch i gael gwared â'r nionyn ac ati. Tywalltwch yr hylif yn ôl i'r tun cig.

5   Ychwanegwch y Madeira neu'r sieri ac ailboethwch a chymysgwch y saws yn dda gan grafu unrhyw sgrwtsh sydd wedi glynu yng ngwaelod y tun.

STOC GIBLETS

I mi, mae grefi yn gallu gwella neu ddifetha cinio – yn enwedig cinio Nadolig. Er mor anghynnes yw trin *giblets* (syrth) y twrci neu'r ŵydd, sef yr iau, y corn gwddf, y galon a'r cropa, maent yn gwneud byd o wahaniaeth i'r grefi!

giblets (iau, corn gwddf, y galon a'r cropa wedi eu glanhau)

un nionyn wedi ei haneru

un foronen wedi ei haneru yn ei hyd

ychydig o bersli

coesyn seleri ac ychydig o'r dail

un ddeilen llawryf

6 gronyn o bupur du

halen

peint a hanner (850ml) o ddŵr

1   Os ydych am ddefnyddio'r iau, gofalwch nad oes darn ohono wedi ei staenio neu newid ei liw. Gall hyn ddigwydd os yw'r goden fustl wedi torri a'r bustl wedi staenio'r iau. Gallai hyn droi'r stoc yn bur chwerw a difetha'r grefi a'r cinio Nadolig yn llwyr!

2   Golchwch y *giblets* a'u rhoi mewn sosban. Ychwanegwch y nionyn wedi ei haneru a'r dŵr a dewch â'r cyfan bron iawn i'r berw. Tynnwch unrhyw sgum oddi ar wyneb y dŵr ac yna ychwanegwch weddill y cynhwysion.

3   Rhowch gaead ar y sosban a mudferwch y cyfan am awr i awr a hanner.

4   Hidlwch y stoc hwn a chadwch yr hylif dan orchudd yn yr oergell nes y byddwch ei angen i wneud y grefi.

Manion ar gyfer y Nadolig

Selsig mwstard a mêl

pwys (450g) o selsig bach

2 lond llwy fwrdd o fwstard bras

llond llwy fwrdd (15ml) o saws soi

llond llwy fwrdd (15ml) o fêl clir

1   Cymysgwch y mwstard, y saws soi a'r mêl yn dda.

2   Trochwch y selsig yn y gymysgfa a'u gadael ynddi am ddiwrnod yn yr oergell nes bo'u hangen.

3   Rhostiwch y selsig efo'r twrci am hanner awr neu nes bônt yn frown.

Garlleg wedi ei rostio

Mae un bỳlb garlleg cyfan yn ddigon i 2.

1   Peidiwch â phlicio'r bylbiau garlleg. Torrwch y top oddi ar bob bỳlb ac yna brwsiwch olew olewydd drostynt.

2   Rhostiwch y bylbiau garlleg yn y tun efo'r twrci am hanner awr.

3   Ar eich plât, gwahanwch y bylbiau'n ewinedd a gwasgwch gynnwys yr ewinedd garlleg dros eich tatws rhost a'ch cig.

STWFFIN AFAL

Digon ar gyfer stwffio gwddf a choesau twrci
12 pwys (5.45cg). Gellir ei rewi ond dylid ei
ddefnyddio o fewn tua mis.

un pupur coch, heb yr hadau, wedi ei dorri'n giwbiau

2 lond llwy fwrdd o bersli ffres wedi ei falu

croen hanner lemwn wedi ei ratio'n fân

6 owns (170g) o afal cwcio wedi ei blicio a'i ratio

hanner nionyn wedi ei dorri'n fân

coesyn seleri wedi ei dorri'n fân

pwys a chwarter (560g) o friwsion bara gwyn

pupur du a halen

llond llwy de (5ml) o *Worcester sauce*

8 owns (225g) o gig selsig porc

1 Cymysgwch y cynhwysion gyda'i gilydd,
ar wahân i'r cig selsig, mewn powlen fawr.
Rhannwch yn ddau.

2 Cymysgwch y cig selsig efo un hanner o'r stwffin.
Rhowch yr hanner arall di-gig o'r neilltu.

3 Tynnwch yr esgyrn o goesau'r twrci. Defnyddiwch
beth o'r stwffin sydd a chig selsig ynddo i stwffio'r
twll yn y coesau lle'r oedd yr esgyrn. Lapiwch y
croen yn ei ôl o gwmpas y goes a chadw'r cyfan yn
ei le gyda sgiwer. Gwnewch beli o'r stwffin hwn
sydd dros ben a'u gosod o amgylch y twrci yn y
tun rhostio am hanner awr olaf y rhostio.

4 Defnyddiwch yr hanner di-gig a roddwyd o'r
neilltu i stwffio gwddf y twrci. Stwffiwch o dan
groen y gwddf i lenwi o gwmpas bôn y corn
gwddf.

Bresych coch

3 owns (85g) o fenyn

2 lond llwy fwrdd (30ml) o finegr gwin gwyn

un nionyn wedi ei dorri'n fân

pwys (450g) o fresychen goch wedi ei thorri'n fân

hanner peint (285ml) o stoc cyw iâr

2 afal cwcio wedi eu plicio a'u torri'n weddol fân (heb y galon)

llond llwy fwrdd o ruddygl poeth wedi ei hufennu

pupur du a halen

Popty 180°C | Ffan 160°C | Nwy 4

1 Toddwch y menyn, ychwanegwch y finegr a ffriwch y nionyn a'r bresych coch am 10 munud. Hidlwch a rhowch mewn dysgl gaserol. Ychwanegwch y stoc, yr afal, y rhuddygl poeth a phupur a halen a chymysgwch y cyfan yn dda.

2 Coginiwch am 40 munud. Gweinwch yn boeth neu'n oer gyda'r twrci.

3 Os ydych am ei baratoi ymlaen llaw, tywalltwch i dwb plastig ar ôl gorffen cam 1 uchod a'i rewi. (Bwytewch o fewn mis.) Pan fyddwch ei angen, trosglwyddwch i ddysgl gaserol. Pobwch heb ei ddadmer a chyda caead ar y ddysgl am 40–45 munud.

Sbrowts, cnau cashiw a nytmeg

1 Berwch ddau bwys (900g) o sbrowts am tua 8–10 munud ac yna eu hidlo.

2 Toddwch 2 owns (55g) o fenyn mewn sosban ac ychwanegwch 4 owns (115g) o gnau cashiw (neu gnau almon os mynnwch). Ffriwch i'w brownio ond gofalwch nad yw'r menyn yn llosgi (yn duo).

3 Ychwanegwch y sbrowts a phinsiad o nytmeg a pupur a halen a'u cymysgu.

Moron a bôn sinsir

1 Berwch 2 bwys (900g) o foron wedi eu torri'n ddarnau gweddol fach am 20 munud mewn dŵr wedi ei halltu. Hidlwch yn dda, rhowch yn ôl yn y sosban a'u rhoi o'r neilltu am y tro.

2 Pliciwch sinsir ffres a'i ratio'n fras i wneud 2 lond llwy fwrdd. Toddwch 2 owns o fenyn mewn ail sosban ac ychwanegwch y sinsir. Coginiwch am 2–3 munud i'w feddalu gan ofalu ei droi drwy'r amser.

3 Malwch y moron yn fân ac yna ychwanegwch y sinsir a'r menyn o'r sosban arall. Ychwanegwch bupur a halen a chymysgwch y cyfan yn drwyadl.

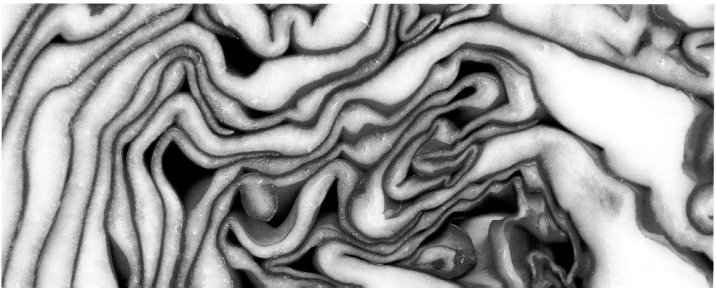

Pannas

pwys (450g) o bannas wedi eu sleisio'n stribedi

tri chwarter pwys (340g) o nionod bach (gw. *Nionod bach*, pennod *Briwsion*)

hanner llond llwy de o bowdr *chilli* (gweddol o boeth)

4 llond llwy fwrdd (60ml) o olew olewydd

1 Cymysgwch y cwbl yn dda. Gwasgarwch ychydig o sglodion *chilli* dros y cyfan os mynnwch.

2 Rhowch mewn tun rhostio gydag ychydig o saim y twrci a'u rhostio am hanner awr ar silff arall yn yr un popty â'r twrci. Bydd angen eu troi drosodd unwaith yn ystod y rhostio.

Catwad ceirios y wern

pwys go dda (500g) o geirios y wern

4 owns (115g) o siwgr brown meddal

sudd un oren a'r croen wedi ei ratio

llond llwy fwrdd (15ml) o Cointreau

1 Rhowch y ceirios, y siwgr a chroen a sudd yr oren mewn sosban. Cynheswch y cyfan yn araf i doddi'r siwgr.

2 Dewch â'r cyfan i'r berw, trowch y gwres i lawr a'i fudferwi am 5–8 munud nes y bydd y ceirios yn feddal a'r catwad wedi tewychu.

3 Ychwanegwch y Cointreau, cymysgwch ac yna ei dywallt i botyn. Gellir ei gadw, gyda chaead arno, am 5 niwrnod yn yr oergell.

Salad reis

hanner i un llond cwpan o reis grawn hir wedi ei ferwi'n barod ac wedi oeri

un nionyn bychan wedi ei blicio a'i dorri'n fân

ychydig o india corn tun gyda darnau o bupur coch ynddo

cnau o unrhyw fath wedi eu malu

ychydig o gyrens

un neu 2 afal bwyta (heb eu plicio) wedi eu torri'n giwbiau bychain

pupur a halen

1 Sylwch nad wyf wedi nodi faint yn union o'r cynhwysion uchod y dylid eu defnyddio. Y bwriad yw creu salad lliwgar sydd at eich dant chi. Felly, penderfynwch chi faint o bob cynhwysyn i'w gynnwys.

2 Cymysgwch y cyfan gyda'i gilydd a'i fwyta'n oer.

CYLCH O LYSIAU ⟦LL⟧

Rhywbeth ychydig yn fwy arbennig na rwden a moron!

Digon i 10

pwys (450g) o bannas wedi eu plicio a'u torri'n ddarnau

pwys (450g) o rwdins wedi eu plicio a'u torri'n ddarnau

2 owns (55g) o fenyn

un ŵy mawr wedi ei guro

llond llwy fwrdd (15ml) o sieri

pupur a halen

pwys (450g) o foron wedi eu plicio a'u sleisio

tusw o slots wedi eu glanhau a'u sleisio

llond llwy fwrdd o bersli wedi ei dorri'n fân

Popty 230°C | Ffan 210°C | Nwy 8

1 Berwch y pannas a'r rwdins gyda'i gilydd i'w meddalu ac yna eu gloywi.

2 Rhowch y sosban yn ôl dros wres isel ac ysgwyd y pannas a'r rwdins ynddi yn ofalus i'w sychu ymhellach. Tynnwch y sosban oddi ar y gwres a stwnsiwch y llysiau.

3 Ychwanegwch owns (28g) o'r menyn, yr ŵy wedi ei guro, y sieri a phupur a halen. Curwch y cyfan yn dda.

4 Irwch dun cylch (cafn crwn a dim yn ei ganol fel Polo!) sy'n dal peint a thri chwarter (1 litr) a rhowch y llysiau wedi eu stwnsio ynddo. Llyfnwch wyneb y gymysgfa a phobwch am 20 munud.

5 Yn y cyfamser, berwch y moron am tua 15 munud nes y byddant yn feddal. Hidlwch a'u cadw'n gynnes.

6 Toddwch y menyn sy'n weddill mewn padell ffrio ac yna ychwanegwch y slots a'u ffrio'n ofalus am 3 munud. Ychwanegwch y moron ac ysgydwch y badell er mwyn eu cymysgu'n dda.

7 Trowch y cylch llysiau allan o'r tun yn ofalus ar blât poeth. (Rhoi'r plât a'i ben i lawr ar y tun a throi'r cwbl drosodd yw'r dull gorau.) Llenwch ganol y cylch â'r gymysgfa foron. Gwasgarwch y persli dros y moron. Gweinwch yn boeth.

EIRIN GWLANOG A STWFFIN BRIWFWYD

Dyma ffordd dda o ddefnyddio'r hanner potyn briwfwyd sydd ar ôl wedi'r Nadolig.

DIGON I 6

tun mawr o haneri eirin gwlanog

6 llond llwy fwrdd (90ml), neu fwy, o sieri

briwfwyd

Popty   200°C | Ffan 180°C | Nwy 6

1   Rhowch yr eirin a'u toriad at i lawr mewn dysgl sy'n addas i'w rhoi yn y popty.

2   Tywalltwch y sieri a'r sudd o'r tun drostynt a gadewch iddynt fwydo ynddo am ychydig oriau neu dros nos.

3   Trowch yr eirin drosodd a llanwch y twll (lle bu'r garreg) â llond llwy de o friwfwyd.

4   Rhowch yn y popty am 10 munud ac yna codwch lwyaid neu ddwy o'r sudd dros yr eirin fel nad yw'r briwfwyd yn sychu. Rhowch yn ôl yn y popty am 10 munud arall.

5   Dylid eu bwyta'n boeth neu'n gynnes gyda hufen. Gellir eu hailgynhesu'n hawdd ond cofiwch wlychu'r briwfwyd efo'r sudd cyn gwneud hynny.

6   Os bydd angen paratoi hwn ar frys gellir defnyddio'r popty gwyllt (*microwave*) yn hytrach na'r popty cyffredin. Addaswch yr amserau i weddu i'r math o bopty gwyllt sydd gennych.

PWDIN NADOLIG
HEB SIWGR NA BLAWD

Coginnir y pwdin hwn mewn cwpan de ac mae'n bwdin ysgafn, llawn ffrwythau.

6 owns (170g) o geirios *glacé* wedi eu torri'n fras

6 owns (170g) o gandi-pîl

8 owns (225g) o resins

6 owns (170g) o syltanas

6 owns (170g) o gyrens

3 owns (85g) o gnau almon wedi eu malu'n fras

8 owns (225g) o friwsion bara gwyn

8 owns (225g) o siwed wedi ei falu (*shredded suet*)

llond llwy de o bowdr sinamon

chwarter llond llwy de o nytmeg wedi ei ratio

6 ŵy wedi eu curo

chwarter peint (140ml) o stowt

3 llond llwy fwrdd (45ml) o frandi

menyn i iro'r bowlen

Popty   170°C | Ffan 150°C | Nwy 3

1   Rhowch y ceirios, candi pîl, resins, syltanas, cyrens, cnau almon, briwsion bara, siwed, sinamon a'r nytmeg mewn powlen fawr a chymysgwch y cyfan yn drylwyr.

2   Ychwanegwch yr wyau, y stowt a'r brandi a chymysgwch yn dda.

3   Rhannwch y gymysgfa rhwng 8 cwpan de wedi eu hiro. Gorchuddiwch bob cwpan â haen ddwbl o ffoil.

4   Gosodwch y cwpanau mewn tun rhostio sydd yn cynnwys digon o ddŵr fel bod pob cwpan at ei hanner yn y dŵr.

5   Coginiwch am 3 awr. Ychwanegwch ragor o ddŵr fel bo'i angen. Gweinwch gyda saws o'ch dewis.

6   Mae'r pwdin hwn yn rhewi'n dda. Tynnwch ef o'r gwpan a'i lapio mewn 2 drwch o bapur menyn a thrwch o ffoil cyn ei rewi. Tynnwch y pwdin o'r rhewgell ddiwrnod cyn ei fwyta. Dim ond ei gynhesu sydd ei angen wedyn – does dim angen ei goginio ymhellach.

PWDIN NADOLIG
POPTY Ⓛ

6 owns (170g) o flawd codi

hanner llond llwy de o garboned soda

8 owns (225g) o friwsion bara gwyn (bara becws, nid 'bara mwswg', chwedl Taid am fara siop wedi ei dafellu)

8 owns (225g) o siwgr brown golau meddal

2 bwys (900g) o ffrwythau sych cymysg

llond llwy de o sbeis cymysg

llond llwy de o nytmeg

8 owns (225g) o afalau wedi eu plicio a'u gratio

8 owns (225g) o foron wedi eu plicio a'u gratio

2 owns (55g) o almonau mâl

2 owns (55g) o geirios *glacé* wedi eu chwarteru

4 owns (115g) o brŵns paced wedi eu torri'n fân

4 owns (115g) o fricyll paced wedi eu torri'n fân

8 owns (225g) o fenyn

sudd un lemwn a'r croen wedi ei ratio

sudd un oren a'r croen wedi ei ratio

llond llwy bwdin o driog du

hanner peint (285ml) o frandi neu sieri

4 ŵy wedi eu curo

pinsiad o halen

Popty   150°C | Ffan 130° C | Nwy 2

1   Toddwch y menyn. Rhowch y cynhwysion eraill i gyd mewn powlen fawr, tywalltwch y menyn drostynt a chymysgwch yn dda. Gadewch iddo fwydo dros nos.

2   Irwch y powlenni gyda menyn a'u llenwi efo'r gymysgfa at eu tri chwarter. Gorchuddiwch y powlenni gyda 2 drwch o bapur menyn gyda'r wyneb agosaf at y pwdin wedi ei iro. Cyn gosod y papur, rhowch blyg hanner modfedd o led ynddo ar draws ei ganol. Mae'r plyg yn rhoi lle i'r pwdin godi. Plygwch y papur yn dynn dros ymyl y bowlen ac, os bydd angen, clymwch gyda llinyn neu lastig.

3   Rhowch y powlenni i sefyll mewn tun cig go ddwfn. Yn ofalus, tywalltwch ddŵr berwedig i'r tun nes y bydd pob powlen at ei thri chwarter yn y dŵr.

4   Rhowch 2 drwch o ffoil dros y cyfan a'i lapio'n dynn, dynn rownd ymylon y tun i gadw'r stêm i mewn. Coginiwch am tua 6 awr. Ni chlywch arogl coginio am tua 3 awr. Ar ôl tua 2 awr a hanner neu 3, codwch ymyl y ffoil ac ychwanegwch fwy o ddŵr berwedig os bydd angen.

5   Ar ôl eu tynnu o'r popty, gadewch i'r pwdinau oeri.

6   Mae hwn yn rhewi'n dda. Tynnwch ef o'r bowlen a'i lapio mewn 2 drwch o bapur menyn a thrwch o ffoil cyn ei rewi. Tynnwch y pwdin o'r rhewgell ddiwrnod cyn ei fwyta. Dim ond ei gynhesu sydd ei angen wedyn – does dim angen ei goginio ymhellach.

RHOLYN SIOCLED

I de, yn lle'r gacen Nadolig.

DIGON I 6–8

6 owns (170g) o siocled coginio plaen wedi ei dorri'n ddarnau

2 lond llwy fwrdd (30ml) o ddŵr

5 ŵy, y gwynnwy a'r melynwy wedi eu gwahanu

8 owns (225g) o siwgr mân

ychydig o siwgr eisin

chwarter peint (140ml) o hufen dwbl wedi ei guro'n weddol dew i addurno

Popty 180°C | Ffan 160°C | Nwy 4

1. Irwch dun Swis-rôl 13 x 9" (33 x 23cm) a'i leinio efo papur menyn.

2. Toddwch y siocled efo'r 2 lond llwy fwrdd (30 ml) o ddŵr mewn powlen fawr sy'n sefyll dros sosbenaid o ddŵr poeth (gw. *Toddi siocled*, pennod *Briwsion*).

3. Wedi i'r siocled doddi, tynnwch y bowlen oddi ar y sosban. Heb oedi, ychwanegwch y 5 melynwy a'r siwgr mân a chwisgiwch y cyfan nes y bydd y gymysgfa wedi tewychu ac yn hufennog.

4. Mewn powlen arall chwisgiwch y 5 gwynnwy nes y byddant yn stiff. Yna plygwch hwy'n ofalus i mewn i'r gymysgfa siocled.

5. Tywalltwch i'r tun Swis-rôl a phobwch am 10–15 munud. Dylai wyneb y gacen deimlo'n eithaf cadarn. Tynnwch hi o'r popty a gorchuddiwch â lliain sychu llestri. Gadewch iddi oeri yn y tun.

6. Trowch y gacen allan o'r tun ar bapur menyn wedi ei sgeintio â siwgr. Rhwygwch y papur leinio oddi arni'n ofalus.

7. Taenwch yr hufen dros y gacen ac yna ei rholio i fyny'n ofalus, gyda'r hufen oddi mewn wrth gwrs. Gall gracio ychydig ond mae hyn yn nodweddiadol o'r gacen yma. Nid Swis-rôl ydi hi!

8. Sgeintiwch ychydig o siwgr eisin drosti cyn ei gweini. Gellir ei rhewi mewn bocs at eto. Gadewch iddi ddadmer yng ngwres yr ystafell.

FFRWYTHAU MEWN CYTEW 🟦

Dyma un ffordd flasus a gwahanol o gael gwared â ffrwythau sydd dros ben ar ôl y Nadolig. A dweud y gwir, maent yn flasus waeth pa dymor yw hi.

hanner pîn-afal bychan

un mango aeddfed, ond heb fod yn rhy feddal

2 fanana wedi eu plicio

llond llwy fwrdd o flawd plaen

olew ar gyfer ffrio

owns (28g) o siwgr mân

hanner llond llwy de o bowdr sinamon

Y cytew

2 owns (55g) o flawd codi

2 owns (55g) o flawd corn

pinsiad o halen

llond llwy fwrdd (15ml) o olew

un gwynnwy

1 Paratowch y cytew yn gyntaf. Gogrwch y ddau flawd a'r halen i bowlen fawr.

2 Cymysgwch yr olew gyda chwarter peint (140ml) o ddŵr oer a thywalltwch y rhan fwyaf ohono am ben y blawd. Cymysgwch yn dda a churwch y cytew nes y bydd yn llyfn. Ychwanegwch weddill y dŵr a churwch y cytew eto. Rhowch orchudd dros y cytew a'i adael i sefyll am tuag awr.

3 Sleisiwch y pîn-afal, ei blicio a thynnu'r canol allan.

4 Sleisiwch y mango yn dafelli gweddol dew yn ei hyd, bob ochr i'r garreg. Bydd peth ffrwyth ynghlwm wrth y garreg o hyd – sleisiwch hwnnw i ffwrdd gorau fedrwch chi. Pliciwch y croen oddi ar y tafelli.

5 Torrwch y bananas yn ddarnau 2" (5cm) o hyd.

6 Chwisgiwch y gwynnwy nes y bydd yn stiff a phlygwch chwarter ohono i mewn i'r cytew gyda llwy fwrdd. Yna plygwch y gweddill i mewn. Sgeintiwch bob darn o'r ffrwythau yn ysgafn gyda'r blawd plaen cyn eu trochi yn y cytew ac yna eu ffrio mewn sosban o olew (defnyddiwch sosban sglodion), ychydig ar y tro, nes y byddant wedi crimpio.

7 Rhowch ar bapur menyn i gael gwared â'r saim ac yna sgeintiwch sinamon a siwgr mân (wedi eu cymysgu gyda'i gilydd) drostynt.

8 Gweinwch yn gynnes gyda hufen wedi ei guro.

Profi gwres yr olew cyn ffrio: Rhowch lwyaid o'r cytew yn yr olew poeth. Dylai nofio yn ôl i'r wyneb os yw'n ddigon poeth, a dechrau ffrio.

CACEN NADOLIG

8 owns (225g) o syltanas

5 owns (140g) o resins

5 owns (140g) o gyrens

2 owns (55g) o brŵns, heb y cerrig ac wedi eu torri'n weddol fân

3 owns (85g) o gandi pîl

2 owns a hanner hylifol (tua 60ml) o sieri

croen a sudd hanner lemwn – y croen wedi ei ratio

croen a sudd hanner oren – y croen wedi ei ratio

3 owns (85g) o geirios *glacé* wedi eu torri'n chwarteri

2 owns a hanner (70g) o gnau Ffrengig wedi eu malu'n fras

6 owns (170g) o fenyn

5 owns (140g) o siwgr brown meddal

8 owns (225g) o flawd plaen

chwarter llond llwy de o bowdr codi

hanner llond llwy de o bowdr sinamon

hanner llond llwy de o sbeis cymysg

chwarter llond llwy de o nytmeg

3 ŵy, maint canolig, wedi eu curo

llond llwy fwrdd o jam bricyll

llond llwy fwrdd o driog du

Popty 140°C | Ffan 120°C | Nwy 1

1 Irwch dun crwn 8" (20cm) neu un 7" (18cm) sgwâr ac yna leiniwch â dau drwch o bapur menyn.

2 Rhowch y syltanas, y resins, y cyrens, y prŵns, y candi pîl, y sieri a chroen a sudd y lemwn a'r oren mewn sosban. Cymysgwch â llwy bren dros wres canolig am 5 munud. Rhowch gaead ar y sosban a'i gadael o'r neilltu dros nos.

3 Ychwanegwch y ceirios a'r cnau Ffrengig at y gymysgfa fu'n mwydo dros nos, a'u cymysgu.

4 Curwch y menyn a'r siwgr gyda'i gilydd mewn powlen fawr nes y bydd y gymysgfa'n ysgafn a gwyn ei lliw.

5 Gogrwch y blawd, y powdr codi, y sinamon, y sbeis cymysg a'r nytmeg i bowlen arall a'u cymysgu.

6 Ychwanegwch 4 llond llwy fwrdd o'r gymysgfa flawd hon at y menyn a'r siwgr yn y bowlen fawr. Yn raddol, ychwanegwch yr wyau gan guro'r cyfan yn drwyadl drwy'r amser rhag i'r cwbl geulo. Os gwelwch ei fod ar fin ceulo, ychwanegwch ychydig mwy o'r gymysgfa flawd.

7 Ychwanegwch y jam bricyll a'r triog du a'u cymysgu i mewn yn drwyadl.

8 Plygwch weddill y gymysgfa flawd i mewn yn drwyadl.

9 Ychwanegwch y gymysgfa ffrwythau o'r sosban a'u cymysgu'n ysgafn ond yn drwyadl.

10 Rhowch y gymysgfa derfynol hon yn y tun a baratowyd a llyfnwch wyneb y gacen â chefn llwy fwrdd. Lapiwch o leiaf ddau drwch o bapur newydd o amgylch y tun a'i glymu efo llinyn. Rhowch y tun i sefyll ar ddau drwch o bapur newydd ar dun pobi. Coginiwch am 3 awr a hanner.

11 Gadewch i'r gacen oeri'n gyfan gwbl yn y tun, heb orchudd drosti.

12 Trowch hi allan o'r tun a'i lapio mewn papur menyn a ffoil. Cadwch y gacen mewn tun ond bwytewch o fewn 6 mis. Gellir ei rhewi wrth gwrs – lapiwch hi mewn papur menyn ac yna mewn ffoil. Bwytewch o fewn blwyddyn.

Cacen Nadolig munud ola'

Dyma gacen hawdd iawn i'w gwneud. Y dull berwi a ddefnyddir ac fe geir cacen laith a blasus. Yn wir, mae mor flasus a llawn ffrwythau fel nad oes angen rhoi amser iddi 'aeddfedu' cyn ei bwyta. Defnyddiwch dun crwn 10" (25cm) neu un sgwâr 9" (23cm).

2 bwys 2 owns (955g) o ffrwythau sych cymysg o ansawdd da sy'n cynnwys ychydig o ffrwythau anghyffredin os yn bosib

8 owns (225g) o geirios *glacé* wedi eu haneru

hanner peint (285ml) o *ruby port*

chwarter peint (140ml) o frandi

chwarter peint (140ml) o sudd oren

3 llond llwy fwrdd o driog du

9 owns (255g) o fenyn wedi ei feddalu ychydig

9 owns (255g) o siwgr brown meddal

5 ŵy wedi eu curo'n ysgafn

12 owns (340g) o flawd plaen**

llond llwy de a hanner o bowdr codi**

2 lond llwy de o sbeis cymysg**

3 owns a hanner (100g) o gnau Brasil wedi eu torri'n chwarteri neu'n llai

** Mae angen gogru'r rhain gyda'i gilydd.

Popty 140°C | Ffan 120°C | Nwy 1

1   Rhowch y ffrwythau cymysg a'r ceirios mewn sosban fawr gyda'r port, y brandi, y sudd oren a'r triog. Dewch â'r cyfan yn araf i'r berw ac yna ei fudferwi am 10 munud heb gaead ar y sosban. Trowch y cyfan yn weddol aml. Rhowch o'r neilltu am 3 i 4 awr.

2   Irwch y tun cacen a'i leinio efo 2 drwch o bapur menyn. Leiniwch y tu allan i'r tun gydag o leiaf drwch dwbl o bapur newydd a'i ddal yn ei le efo llinyn.

3   Rhowch y menyn, y siwgr, yr wyau a'r blawd sy'n cynnwys y powdr codi a'r sbeis mewn powlen a churwch y cyfan yn dda nes y bydd yn llyfn.

4   Ychwanegwch y cnau a'r ffrwythau a chymysgwch y cyfan yn drwyadl.

5   Rhowch y gymysgfa yn y tun cacen a llyfnwch efo cefn llwy fwrdd.

6   Pobwch am 3 awr a hanner i 4 awr nes y bydd y gacen wedi codi a'i chanol i'w deimlo'n eithaf cadarn. Profwch efo sgiwer i weld a yw'n barod. Ni ddylai'r sgiwer fod yn ludiog o gwbl a dylai ddod allan yn lân. Gadewch i'r gacen oeri yn y tun am chwarter awr cyn ei throi allan i oeri'n gyfan gwbl. Os gwelwch y gacen yn brownio gormod, gorchuddiwch y tun â phapur menyn am weddill ei hamser yn y popty.

TREIFFL POETH

Gwneud treiffl gyda gweddillion pwdin Nadolig
– ac mae'n dda!

hanner pwys (225g) o bwdin Nadolig

tun tua 400g o unrhyw ffrwyth o'ch dewis

paced o Angel Delight neu Dream Topping (blas taffi,
   butterscotch neu garamel)

3 gwynnwy

6 owns (170g) o siwgr

cnau almon heb eu crwyn

Popty 180°C | Ffan 160°C | Nwy 4

1   Rhowch y pwdin wedi ei sleisio ar waelod dysgl
    sy'n addas i'w rhoi yn y popty. Tywalltwch y
    ffrwythau a'r sudd drosto.

2   Paratowch yr Angel Delight neu'r Dream Topping
    yn ôl y cyfarwyddiadau ar y paced a thywalltwch
    am ben y ffrwythau.

3   Curwch y 3 gwynnwy yn stiff a phlygwch y siwgr
    i mewn iddo yn ofalus. Gorchuddiwch y pwdin
    gyda'r gwynnwy a gwasgarwch y cnau almon
    drosto.

4   Pobwch am 25–30 munud a'i fwyta tra bo'n
    gynnes.

MENYN BRANDI 🅛🅛

3 owns (85g) o fenyn

3 owns (85g) o siwgr mân neu siwgr brown meddal

3 llond llwy fwrdd (45ml) o frandi

llond llwy de (5ml) o sudd lemwn

1   Dylai'r menyn fod wedi meddalu yng ngwres
    yr ystafell cyn cychwyn ar y gwaith. Curwch y
    menyn yn dda nes y bydd wedi gwynnu.

2   Ychwanegwch y siwgr, ychydig ar y tro, gan
    guro'n dda drwy'r adeg.

3   Ychwanegwch y brandi ychydig o ddiferion ar y
    tro gan ofalu ei guro drwy gydol yr amser.

4   Rhowch mewn dysgl yn yr oergell am awr neu
    ddwy cyn gweini'r menyn. Mae rhoi'r menyn
    brandi mewn dysgl a chaead arni yn atal arogl y
    brandi rhag mynd ar fwydydd eraill yn yr oergell.
    Gellir ei gadw yn yr oergell am 2–3 wythnos felly
    does fawr o bwynt ei rewi.

MARSIPÁN – A'I OSOD

DIGON AR GYFER CACEN 7" (18CM) SGWÂR

NEU UN 8" (20CM) GRON

8 owns (225g) o siwgr mân

8 owns (225g) o siwgr eisin

pwys (450g) o almonau mâl

2 felynwy

2 ŵy cyfan

2 lond llwy de (10ml) o sudd lemwn

6 diferyn o nodd fanila

2 wynnwy

1 Gogrwch y ddau fath o siwgr i bowlen go fawr a chymysgwch gyda'r almonau mâl.

2 Cymysgwch y melynwy, yr wyau cyfan, y sudd lemwn a'r nodd fanila gyda'i gilydd ac ychwanegwch at y siwgr a'r almonau mâl. Curwch y cyfan â llwy bren am ychydig a ffurfiwch y cyfan yn belen o farsipán gyda'ch dwylo.

3 Gogrwch ychydig o siwgr eisin ar eich bwrdd neu 'styllen a thylinwch y marsipán nes y bydd yn llyfn. Peidiwch â gordylino neu fe ddaw'r olew allan o'r cnau mâl a'i wneud yn rhy seimllyd i'w drin.

4 Rholiwch drydedd ran o'r marsipán yn gylch (neu'n sgwâr) ychydig yn fwy na thop y gacen. Sgeintiwch ychydig o siwgr eisin ar eich 'styllen a'ch rholbren i arbed iddo lynu. Rholiwch allan weddill y marsipán yn ddarn digon hir i fynd o amgylch y gacen, ac ychydig yn lletach na'i dyfnder.

5 Curwch y gwynnwy a'i frwsio ar hyd ochrau'r gacen. Peidiwch â defnyddio jam. Mae'n well defnyddio gwynnwy gan nad oes peryg iddo lwydo dros amser a difetha'r gacen.

6 Trowch y gacen ar ei hechel a'i rholio ar hyd y stribedyn hir o farsipán gan ofalu cadw ymyl gwaelod y gacen yn wastad ag ymyl y marsipán. Dylech sicrhau bod y marsipán wedi glynu'n iawn yn ochr y gacen wrth i chi ei rholio.

7 Trowch y gacen wyneb i fyny a brwsiwch ei hwyneb â'r gwynnwy. Yna gosodwch hi a'i phen i lawr ar y cylch (neu sgwâr) marsipán. Defnyddiwch gyllell balet a'ch bysedd i uno'r ddau ddarn marsipán.

8 Trowch y gacen drosodd a brwsiwch unrhyw friwsion, eisin neu ronynnau marsipán oddi arni. Gadewch iddi sefyll heb orchudd drosti am ddeuddydd o leiaf cyn rhoi eisin arni a'i haddurno. (Byddaf i'n ei gadael am wythnos.)

EISIN FFONDANT ⬛

2 bwys (900g) o siwgr eisin

4 owns hylifol (115ml) o glwcos hylifol

2 wynnwy maint canolig

1. Gogrwch y siwgr eisin i bowlen, ychwanegwch y glwcos hylifol a'r gwynnwy a'i gymysgu â llwy bren ac yna efo'ch dwylo nes y byddwch wedi creu pelen o eisin.

2. Gogrwch ychydig o siwgr eisin ar eich bwrdd a thylinwch y belen eisin nes y bydd yn berffaith lefn. Gall hyn gymryd 5–10 munud. Os yw'r eisin yn teimlo'n rhy ludiog, ychwanegwch ychydig mwy o siwgr eisin.

3. Rholiwch yr eisin yn gylch neu'n sgwâr 2" (5cm) yn fwy na'r gacen. Gofalwch nad yw'r eisin yn glynu yn y bwrdd nac yn y rholbren trwy sgeintio ychydig mwy o siwgr eisin fel bo'r angen.

4. Brwsiwch ychydig o wynnwy wedi ei guro dros y marsipán ar ochrau a thop y gacen. Yna codwch yr eisin yn ofalus ar eich rholbren a'i osod ar ben y marsipán, gan ofalu peidio'i dynnu na'i ymestyn yn ormodol rhag iddo gracio a thorri. Pe bai eisin yn digwydd cracio neu rwygo, gellid ei rwbio'n ysgafn, rownd a rownd, â blaenau'ch bysedd i'w drwsio. Ymhen dim o amser bydd y craciau ac unrhyw frychau eraill wedi diflannu.

5. Twtiwch o amgylch gwaelod y gacen â chyllell a'i haddurno yn ôl eich dewis.

EISIN CALED

Erbyn heddiw, pur anaml yr af i'r drafferth i addurno cacen Nadolig yn gelfydd iawn. Yn hytrach, Sion Corn, robin goch a'r dyn eira yn eistedd ar eira o eisin caled sy'n plesio'r plantos.

DIGON AR GYFER CACEN 7" (18CM) SGWÂR

NEU UN 8" (20CM) GRON

4 gwynnwy o wyau maint canolig

2 bwys (900g) o siwgr eisin wedi ei ogru ddwywaith

Ychwanegiadau

- llond llwy de (5ml) o sudd lemwn i bob 8 owns (225g) o siwgr eisin i liniaru dipyn bach ar y melyster
- llond llwy de (5ml) o glyserin i bob pwys (450g) o siwgr eisin i greu eisin meddalach os nad ydych yn hoffi 'sment' melys!

1   Os yn bosib, defnyddiwch beiriant trydan go gryf i baratoi'r eisin yma gan ei fod yn waith go galed a blinedig i'r breichiau! Cymysgwch y gwynnwy a 3 llond llwy fwrdd o'r siwgr eisin, ychwanegwch y sudd lemwn (os ydych am ei ddefnyddio) a churwch ar gyflymdra gweddol araf ac yna ychwanegwch weddill y siwgr eisin yn raddol. Cyflymwch y peiriant yn raddol dros gyfnod o 10 munud nes y bydd wedi cyrraedd y cyflymdra eithaf. Erbyn hyn dylai'r eisin fod yn glaerwyn, yn llyfn ac yn sgleinio a'r pigau eisin a ffurfir wrth i chi godi llwy allan ohono yn plygu rhyw fymryn.

Gellir ychwanegu rhagor o siwgr eisin wedi ei ogru os yw'n rhy feddal. Ychwanegwch y glyserin yn olaf (os ydych am ei ddefnyddio) a'i gymysgu am ychydig.

2   Cyn rhoi'r eisin ar y gacen, gofalwch fod y marsipán yn llyfn a heb friwsion cacen na briwsion marsipán neu siwgr eisin wedi glynu ynddo. Hefyd, mae'n gymorth mawr rhoi tamaid bach o eisin ar ganol y bwrdd cacen cyn rhoi'r gacen arno, i'w dal yn ei lle.

3   Rhowch yr eisin i gyd am ben y marsipán. Taenwch yr eisin mor wastad â phosib dros wyneb ac ochrau'r gacen gan ddefnyddio cyllell balet fechan neu gyllell â llafn go lydan. Defnyddiwch declyn fel handlen llwy de i godi'r eisin yn batrwm o eira garw dros wyneb y gacen. Gosodwch unrhyw addurniadau o'ch dewis ar ei phen.

Torth ceirios y wern ♦

Dyma risêt ar gyfer y sawl nad yw'n hoff o'r gacen Nadolig draddodiadol – rhywbeth hanner ffordd rhwng torth frith a chacen Nadolig. Defnyddir cwpan i fesur y cynhwysion – arferiad Americanaidd, ond cedwais ato gan ei fod yn gweithio. Tua 4 owns (115g) o flawd y mae fy nghwpan i'n ei dal.

2 gwpanaid o flawd plaen wedi ei ogru

cwpanaid o siwgr

llond llwy de a hanner o bowdr codi

llond llwy de o halen

hanner llond llwy de o garboned soda

2 lond llwy fwrdd go dda o fenyn neu fargarîn

un ŵy mawr wedi ei guro

llond llwy de o groen oren wedi ei ratio

tri chwarter cwpanaid o sudd oren

cwpanaid a hanner o syltanas

cwpanaid a hanner o geirios y wern ffres neu rai wedi eu rhewi

Popty 180°C | Ffan 160°C | Nwy 4

1 Irwch dun bara 9 x 5 x 3" (23 x 13 x 7.5cm)

2 Gogrwch y blawd, y siwgr, y powdr codi, yr halen a'r carboned soda i bowlen fawr a rhwbiwch y margarîn neu'r menyn i mewn i'r gymysgfa.

3 Ychwanegwch yr ŵy a sudd a chroen yr oren a chymysgwch y cyfan yn drwyadl. Ychwanegwch y syltanas a cheirios y wern a chymysgu'r cyfan yn ofalus. Rhowch y gymysgfa yn y tun a phobwch am 60–70 munud.

4 Gadewch i'r dorth oeri yn y tun am chwarter awr cyn ei throi allan ar rwyll oeri. I'w bwyta, sleisiwch a thaenwch fenyn arni.

Torth friwfwyd a marsipán ![Ll]

Dyma ffordd o gael gwared â'r tamaid marsipán a'r hanner potyn o friwfwyd sydd yn sbâr ar ôl y Nadolig!

TORTH 2 BWYS (900G) – TUA 10 TAFELL

4 owns (115g) o fenyn heb ei feddalu

8 owns (225g) o flawd codi

3 owns (85g) o siwgr golau *muscovado*

3 owns (85g) o farsipán wedi ei dorri'n giwbiau tua hanner modfedd (12mm)

2 ŵy

10 owns (285g) o friwfwyd

2 lond llwy fwrdd o almonau tafellog

siwgr eisin i'w sgeintio dros y dorth, os mynnwch

Popty 150°C | Ffan 130°C | Nwy 2

1 Irwch a leiniwch dun bara 2 bwys (900g).

2 Gogrwch y blawd i bowlen, ychwanegwch y menyn a'i dorri'n ddarnau ac yna ei rwbio i mewn i'r blawd nes y bydd fel briwsion.

3 Ychwanegwch y siwgr a'r ciwbiau marsipán.

4 Mewn powlen arall curwch yr wyau, ychwanegwch y briwfwyd a chymysgwch yn drwyadl, ond yn ofalus, cyn ei dywallt am ben y gymysgfa flawd. Cymysgwch yn dda ond peidiwch â'i churo rhag i'r marsipán falu'n ddarnau llai.

5 Rhowch y gymysgfa yn y tun a defnyddiwch gefn llwy fwrdd i lefelu wyneb y dorth.

6 Gosodwch y cnau dros wyneb y dorth a phobwch am awr i awr a chwarter.

7 Wedi ei thynnu o'r popty, sgeintiwch siwgr eisin drosti ar unwaith a gadewch iddi oeri yn y tun am chwarter awr cyn ei throi allan ar rwyll oeri.

8 Sleisiwch yn dafelli gweddol dew a thaenwch fenyn arnynt. Gellir ei rhewi am 3 mis wedi ei lapio mewn ffoil.

BISGED FRAITH

Mae hon yn handi i ddefnyddio'r cnau sydd dros ben ar ôl y Nadolig!

6 owns (170g) o fargarîn

hanner pwys (225g) o fisgedi digestive

llond cwpan o goconyt *dessicated*

8 owns (225g) o siocled coginio (gw. *Siocled***, pennod** *Briwsion***)**

tua 170g o laeth cyddwys (prynwch mewn tiwb)

llond cwpan o gnau cymysg wedi eu malu'n fân

Popty 180°C | Ffan 160°C | Nwy 4

1 Malwch y bisgedi *digestive* drwy eu rhoi mewn bag plastig a phwyso rholbren drosto nes y bydd y cyfan wedi malu'n friwsion mân.

2 Toddwch 4 owns (115g) o'r margarîn mewn sosban ac ychwanegwch hanner y briwsion ato. Cymysgwch a thywalltwch y gymysgfa yma i dun Swis-rôl a'i llyfnu'n wastad gyda chefn llwy fwrdd. Gwasgarwch y coconyt *dessicated* dros y cwbl.

3 Malwch y siocled yn weddol fân a'i wasgaru dros y coconyt. Yna diferwch y llaeth cyddwys yn araf dros y siocled mewn llinellau i fyny ac i lawr y tun. Wedyn gwasgarwch y cnau mâl cymysg dros y llaeth.

4 Toddwch y 2 owns (55g) o'r margarîn sy'n weddill ac ychwanegwch weddill y briwsion *digestive*. Cymysgwch yn drwyadl. Wedi iddi oeri, briwsionwch y gymysgfa mor fân â phosib rhwng eich bysedd cyn ei gwasgaru dros gynnwys y tun, pwyso'r cyfan i lawr a'i lyfnu â chefn llwy fwrdd fel o'r blaen. Pobwch am hanner awr. Gadewch i bopeth oeri cyn torri'r fisged yn ddarnau hirsgwar.

Blas y Nadolig 207

CYFFUG ![icon]

pwys a 2 owns (500g) o siocled coginio wedi ei ratio

tua 14 owns (400g) o laeth cyddwys (prynwch mewn tiwb)

llond llwy de a hanner (7.5ml) o nodd fanila

hanner llond cwpan o gnau wedi eu malu

1   Rhowch y siocled a'r llaeth cyddwys mewn sosban drom a'u cynhesu'n araf nes y bydd y siocled wedi toddi. Gofalwch nad yw'n glynu yng ngwaelod y sosban a difetha.

2   Tynnwch y sosban oddi ar y gwres ac ychwanegwch weddill y cynhwysion a chymysgwch y cyfan yn drwyadl.

3   Irwch dun 8" (20cm) sgwâr ac yna ei leinio gyda phapur menyn. Irwch y papur. Tywalltwch y gymysgfa i'r tun a'i thaenu'n wastad. Gadewch iddi oeri am 2–3 awr.

4   Trowch y tun a'i ben i lawr, tynnwch y papur leinio'n ofalus a thorrwch y cyffug yn sgwariau cyfartal.

CANDI TATWS ![icon]

un daten ganolig ei maint wedi ei berwi a'i stwnsio'n drylwyr

pwys (450g) o siwgr eisin wedi ei ogru

llond cwpan o goconyt *dessicated*

llond llwy de (5ml) o nodd fanila

4–6 owns (115–170g) o siocled

1   Rhowch y daten wedi ei stwnsio mewn powlen go fawr.

2   Ychwanegwch y siwgr eisin, y coconyt a'r nodd fanila.

3   Cymysgwch yn drwyadl ac yna tywalltwch i dun gweddol fas 7 x 7" (18 x 18cm). Pwyswch y gymysgfa i lawr yn y tun gyda chledr eich llaw neu gefn llwy fwrdd. Ceisiwch ei gwneud yn eithaf llyfn a gwastad.

4   Toddwch y siocled (gw. *Toddi siocled*, pennod *Briwsion*) a'i dywallt dros y candi. Gadewch iddo galedu cyn ei dorri'n sgwariau neu'n gylchoedd bach.

5   Bwytewch gyda'ch coffi 'ar ôl wyth'!

FFRWYTHAU MEWN GWIN Ⓛ

Ffrwythau *glacé* wedi eu mwydo mewn gwin melys yw'r rhain. Defnyddiwch sieri melys, *vermouth* coch melys neu Marsala. Dylid mwydo'r ffrwythau am o leiaf bythefnos er mwyn eu meddalu a hefyd iddynt amsugno'r gwin. Does dim angen golchi'r siwgr oddi ar y ffrwythau *glacé* gan y bydd yn toddi yn y gwin. Mae hwn yn gwneud anrheg anghyffredin.

4 owns (115g) o geirios *glacé* coch

4 owns (115g) o ddarnau pîn-afal *glacé* wedi eu deisio

4 owns (115g) o ddarnau papaia *glacé* wedi eu deisio

2 owns (55g) o *angelica* wedi ei ddeisio

tua 12 owns hylifol (340ml) o sieri melys, *vermouth* coch melys neu Marsala

1 Torrwch y ceirios yn eu hanner a chymysgwch gyda gweddill y ffrwythau.

2 Paciwch y ffrwythau (nid yn rhy dynn) mewn potyn gweddol fawr sydd â chaead iddo.

3 Tywalltwch ddigon o win dros y ffrwythau i'w gorchuddio'n gyfan gwbl.

4 Rhowch gaead ar y potyn a'i gadw mewn lle gweddol oer am fis neu ddau. Dylid ysgwyd y potyn yn awr ac yn y man ac ychwanegu rhagor o win fel bo'i angen. Mae'n ddigon posib y bydd y ffrwythau wedi amsugno peth o'r gwin gan ostwng ei lefel. Mae'n rhaid sicrhau bod y ffrwyth wedi ei orchuddio gan y gwin.

Gellir defnyddio'r ffrwythau yma i wneud:

PWDIN NADOLIG OER

1 Gwagiwch lond twb o hufen iâ meddal, blas fanila i bowlen go fawr. Ychwanegwch y ffrwythau (heb y gwin) ato a'u cymysgu'n ofalus.

2 Paciwch y gymysgfa i bowlen arall wedi ei leinio efo *cling film* a rhoi'r pwdin yn y rhewgell nes y bydd wedi rhewi.

3 Tynnwch allan o'r rhewgell a throchwch waelod y bowlen yn sydyn mewn dysglaid o ddŵr poeth i lacio'r pwdin. Yna trowch y bowlen a'i hwyneb i waered ar blât oer. Codwch y bowlen i ffwrdd, tynnwch y *cling film* yn ofalus a gwthiwch sbrigyn bach o gelyn i'r pwdin.

TREIFFL

1   Gosodwch haenau o fisgedi *amaretti*, ffrwyth a fu mewn gwin ac, yn olaf, haen o gwstard go iawn (gweler isod) mewn dysgl. Gwnewch hyn unwaith eto cyn gorffen gyda hufen ffres wedi ei chwisgio ar ben y cyfan.

2   Gwasgarwch siocled wedi ei ratio a chnau almon wedi eu tostio dros y cyfan.

SAWS CWSTARD GO IAWN

1   I wneud y saws cwstard go iawn, curwch 3 melynwy a 3 llond llwy fwrdd wastad o siwgr mân gyda'i gilydd nes y byddant yn hufennog.

2   Cynheswch hanner peint (285ml) o hufen sengl (neu hanner hufen a hanner llefrith) mewn sosban. Tywalltwch am ben yr wyau a'r siwgr a chymysgwch y cyfan yn dda.

3   Hidlwch yn ôl i sosban lân a'i gosod ar wres cymedrol. Trowch y gymysgfa gyda llwy bren am 6–8 munud neu nes y bydd y cwstard yn ddigon tew fel na wnaiff lifo i lawr oddi ar gefn llwy fwrdd.

4   Tynnwch y sosban oddi ar y gwres, ychwanegwch lond llwy de o nodd fanila, cymysgwch a thywalltwch i jwg a'i gadw'n gynnes. Dylid ei droi yn awr ac yn y man rhag iddo groenio. Neu, i arbed iddo groenio, gwlychwch bapur menyn o dan y tap dŵr oer, ei wasgu'n dynn i gael gwared â'r dŵr ac yna gosod y papur llaith i orwedd ar y cwstard fel nad oes dim ohono yn y golwg.

5   Os byddwch am ddefnyddio'r cwstard yn oer – mewn treiffl er enghraifft – tywalltwch i bowlen oer yn hytrach nag i'r jwg. Gosodwch y bowlen i sefyll mewn powlen fwy sy'n cynnwys dŵr a thalpiau o rew ynddo. Rhag iddo groenio, daliwch i gymysgu'r cwstard nes y bydd wedi oeri (neu gw. cam 4 uchod). Yna rhowch orchudd ar y bowlen a'i chadw yn yr oergell nes y byddwch am ddefnyddio'r cwstard.

TWRCI OER MEWN SAWS CYRRI

Nid oes blas cyrri cryf ar y saws llyfn yma a gellir ei baratoi ddiwrnod neu ddau ymlaen llaw.

DIGON I 6

tua 2 bwys (900g) o weddillion twrci

llond llwy fwrdd (15ml) o olew olewydd

un nionyn bychan wedi ei dorri'n fân

llond llwy fwrdd wastad o bowdr cyrri

chwarter peint (140ml) o stoc cyw iâr

llond llwy bwdin o *purée* tomato

sudd hanner lemwn

2 lond llwy fwrdd o bicl melys, e.e., mango

hanner peint (285ml) o *mayonnaise* o safon da

3 llond llwy fwrdd (45ml) o hufen sengl

1 I wneud y saws, poethwch yr olew mewn sosban, ychwanegwch y nionyn a'i ffrio'n araf i'w feddalu. Ychwanegwch y powdr cyrri a chymysgwch â llwy bren. Ffriwch y gymysgfa am 2 funud.

2 Ychwanegwch y sudd lemwn, y *purée* tomato, y stoc a'r picl melys. Dewch â'r gymysgfa i'r berw a'i mudferwi am 5 munud.

3 Tynnwch y sosban oddi ar y gwres a gogrwch y gymysgfa i bowlen. Gadewch iddi oeri a chymysgwch yr hufen a'r *mayonnaise* iddi'n ofalus. Mae'r saws yn barod rŵan.

4 Torrwch y cig yn ddarnau maint brathiad a'u gosod mewn dysgl fas. Tywalltwch y saws drosto. (Os ydych am ei gadw am gyfnod byr, rhowch yn yr oergell gyda gorchudd drosto.) Bwytewch gyda salad o unrhyw fath ond mae salad reis (tud. 188) yn fwy addas na dim.

TORTH SELSIG

Dyma dorth gig i'w bwyta gyda'r tameidiau twrci sydd dros ben.

pwys (450g) o gig selsig porc

llond llwy fwrdd (15ml) o sôs coch

un nionyn mawr wedi ei ratio

chwarter llond llwy de o bupur

chwarter llond llwy de o halen

2 lond llwy de o saets wedi ei falu'n fân

2 dafell o fara wedi eu malu'n friwsion

un ŵy wedi ei guro

Popty 200°C | Ffan 180°C | Nwy 6

1 Malwch y cig selsig â fforc mewn powlen go fawr, neu defnyddiwch gymysgwr trydan, ac ychwanegwch bopeth ond yr ŵy. Cymysgwch yn drylwyr.

2 Ychwanegwch yr ŵy a chymysgwch yn dda eto.

3 Irwch dun bara a rhowch y gymysgfa ynddo gan ei phwyso i lawr yn dda i'r corneli. Defnyddiwch dun sy'n ddigon mawr fel bod y gymysgfa'n ei lenwi at ei dri chwarter. Llyfnwch wyneb y gymysgfa â chefn llwy fwrdd. Gwlychwch y llwy cyn llyfnu rhag i'r gymysgfa lynu yn y llwy.

4 Pobwch y dorth am dri chwarter awr. Gadewch iddi oeri'n iawn yn y tun cyn ei throi allan.

5 Sleisiwch y dorth yn weddol denau a'i bwyta efo salad, sglodion tatws, mewn brechdanau neu fel math o stwffin gyda'r twrci.

GORCHUDD BLASUS AR GYFER HAM WEDI EI FERWI

Dyma ambell syniad ar gyfer addurno darn o ham – newid bach o'r briwsion arferol.

Paratoi'r ham

1   Tua chwarter awr cyn bo'r ham wedi gorffen berwi, codwch ef allan o'r dŵr. Gadewch iddo ddiferu ac yna ei osod mewn tun rhostio.

2   Torrwch y croen oddi ar y cig yn ofalus gyda chyllell finiog ond gadewch haenen o fraster ar ôl.

ADDURN MARMALÊD

9 llond llwy fwrdd o farmalêd oren heb groen

2 lond llwy fwrdd (30ml) o sudd leim

llond llwy de o hadau mwstard duon

llond llwy de o hadau mwstard gwynion

2 leim wedi eu sleisio'n gylchoedd

Popty   220°C | Ffan 200°C | Nwy 7

1   Mewn sosban fechan, cymysgwch y marmalêd a'r sudd leim gyda'i gilydd. (Codwch 2 lond llwy fwrdd o'r hylif gludiog hwn o'r sosban a'i roi mewn powlen o'r neilltu at eto.)

2   Ychwanegwch yr hadau mwstard at gynnwys y sosban, dewch â'r cyfan i'r berw a'i fudferwi am 5–8 munud neu nes y bydd wedi tewychu. Brwsiwch y marmalêd gludiog hwn dros fraster yr ham ac yna gosodwch y sleisiau leim arno cyn eu brwsio â'r hylif a gadwyd o'r neilltu.

3   Rhostiwch am chwarter awr nes y bydd yr addurn marmalêd wedi setio a brownio.

ADDURN PARMESAN

3 melynwy

2 lond llwy fwrdd o fwstard Ffrengig

3 owns a hanner (100g) o friwsion bara gwyn ffres

owns a thri chwarter (50g) o gaws Parmesan wedi ei ratio

6 llond llwy fwrdd o bersli ffres wedi ei falu'n fân

pupur a halen

1   Cymysgwch y tri melynwy a'r mwstard gyda'i gilydd i wneud past a'i daenu dros fraster yr ham.

2   Cymysgwch y briwsion bara, y caws Parmesan a'r persli ac ychydig o bupur a halen gyda'i gilydd.

3   Y dasg nesaf yw rhoi'r gymysgfa friwsion yn flanced dros y braster. Rhaid pwyso'n galed er mwyn iddi lynu yn y mwstard. Gosodwch y cig mewn tun rhostio a'i rostio am chwarter awr nes y bydd y crwst yn felyn frown.

Peli selsig a chig moch

Digon i wneud 24 o beli

hanner owns (15g) o fenyn

4 owns (115g) o fadarch wedi eu torri'n fân

2 owns (55g) o iau twrci wedi ei falu (nid oes raid cael hwn)

pwys (450g) o gig selsig porc

llond llwy de o bupur paprica

mymryn (tua pinsiad) o berlysiau sych cymysg

pupur du a halen

12 sleisen o gig moch brith wedi ei fygu a heb y donnen (*rind*)

Popty 180°C | Ffan 160°C | Nwy 4

1 Toddwch y menyn mewn padell ffrio a ffriwch y madarch a'r iau am 5 munud. Gadewch iddo oeri ychydig.

2 Cymysgwch y cig selsig, y pupur paprica, y perlysiau a'r pupur a halen gyda'i gilydd mewn powlen. Ychwanegwch y gymysgfa fadarch a chymysgwch y cyfan yn dda.

3 Sgeintiwch flawd ar eich dwylo a ffurfiwch tua 24 o beli gyda'r gymysgfa.

4 Torrwch y sleisiau cig moch yn eu hanner.

5 Lapiwch un darn o gig moch o amgylch pob un o'r peli a baratowyd. Gwthiwch ffon goctel drwy bob pelen i ddal y cig moch yn ei le.

6 Rhowch y peli mewn tun rhostio a'u coginio am hanner awr nes bônt yn grimp ar y tu allan. Tynnwch y ffyn coctel allan a gweinwch y peli gyda'r twrci neu mewn bwffe.

7 Gellir rhewi'r peli (ar ddiwedd cam 5) ac fe gadwant yn y rhewgell am ddeufis. Rhowch y peli yn y popty yn syth o'r rhewgell a'u coginio am 35 munud.

RHOLIAU CIG MOCH A BRICYLL MEWN PORT

24 o fricyll sych

5 owns hylifol (140ml) o *ruby port*

12 sleisen o gig moch brith wedi ei fygu a heb y
    donnen (*rind*)

olew

Popty 200°C | Ffan 180°C | Nwy 6

1. Mwydwch y bricyll yn y port mewn powlen dros
nos.

2. Defnyddiwch gyllell i ymestyn y sleisiau cig moch
i ddwbl eu hyd. I wneud hyn, crafwch gefn y
gyllell ar hyd y sleisiau.

3. Torrwch bob sleisen yn ei hanner a gosodwch un
o'r bricyll ar un pen i bob hanner sleisen a'i rholio i
fyny. Gosodwch y rholiau mewn dysgl sy'n addas
i'w rhoi yn y popty. Gorchuddiwch a'i rhoi mewn
lle oer dros nos o leiaf neu, yn ddelfrydol, am
ddeuddydd.

4. Tynnwch y gorchudd, brwsiwch ychydig o olew
dros y cig a choginiwch am 20 munud.

POTYN O GAWS 🌿

Gellir defnyddio caws Stilton, Cheddar neu
Cheshire i wneud hwn neu, yn wir, unrhyw
gaws sydd gennych dros ben ar ôl holl wledda'r
Nadolig.

8 owns (225g) o gaws wedi ei ratio

4 owns (115g) o fenyn wedi ei feddalu

owns a hanner hylifol (40ml) o sieri

chwarter llond llwy de o fês mâl

hanner llond llwy de o fwstard sych

pupur du a halen

1. Cymysgwch y caws a gweddill y cynhwysion
mewn powlen go fawr ac yna ei guro fel y coblyn
(neu ei chwisgio) nes y bydd yn ysgafn a llyfn.

2. Llenwch 8 o ddysglau bach ramecin gyda'r
gymysgfa. Llyfnwch wyneb bob un a gwnewch
batwm gyda fforc.

3. Gadewch y dysglau mewn lle gweddol oer ond
nid yn yr oergell (rhag iddo galedu gormod).
Bwytewch o fewn diwrnod.

4. Gweinwch gyda bisgedi caws, bara ceirch neu
fisgedi *digestive*. Mae'n flasus iawn gyda thost
hefyd. Os mynnwch, gallwch ei daenu ar dost a'i
roi o dan y gril i'w frownio.

Cacennau

Roedd Cai (3 oed) yn helpu Nain i wneud cacen.

Nain: Dos i nôl blawd i Nain.

Cai: A chwaer?

Sgons melys

8 owns (225g) o flawd plaen

2 owns (55g) o fargarîn

un i 2 owns (28–55g) o siwgr

un i 2 owns (28–55g) o syltanas

tua 4 owns hylifol (115ml) o laeth enwyn neu iogwrt
plaen (gw. *Sgons*, pennod *Briwsion*)

pinsiad o halen

llond llwy de wastad o garboned soda

llond llwy de wastad o hufen tartar

Popty 220°C | Ffan 200°C | Nwy 7

1   Gogrwch y blawd, yr halen, y carboned soda a'r
hufen tartar i bowlen go fawr.

2   Rhwbiwch y margarîn i mewn i'r gymysgfa flawd,
ychwanegwch y siwgr a'r syltanas a chymysgwch
y cyfan yn drwyadl.

3   Ychwanegwch y llaeth enwyn a'i gymysgu â
chyllell nes y bydd y toes yn weddol feddal. Ni
ddylai'r toes fod cyn syched â thoes crwst brau.
Tylinwch y toes am ychydig yn unig i'w wneud
yn llyfn a rholiwch allan i drwch o dri chwarter
modfedd (2cm).

4   Torrwch y sgons allan â thorrwr crwn, rhychiog
2" (5cm) ar ei draws (gw. *Sgons*, pennod *Briwsion*)
a throwch hwy drosodd cyn eu rhoi ar dun pobi
wedi ei iro. Arhoswch am 5 munud cyn eu rhoi yn
y popty er mwyn iddynt godi'n wastad.

5   Brwsiwch wyneb y sgons â llefrith neu ŵy wedi
ei guro a phobwch am 7–10 munud nes y byddant
yn felyn frown ac wedi codi'n dda a gwastad.
Rhowch i oeri ar rwyll oeri.

SGONS CAWS

8 owns (225g) o flawd plaen

2 owns (55g) o fargarîn

3 owns (85g) o gaws Cheddar neu Red Leicester wedi
  ei ratio

llond llwy de wastad o garboned soda

llond llwy de wastad o hufen tartar

chwarter llond llwy de o halen

chwarter llond llwy de o fwstard sych

ychydig o bupur

tua 4 owns hylifol (115ml) o laeth enwyn neu iogwrt
  plaen

Popty 220°C | Ffan 200°C | Nwy 7

1 Gogrwch y blawd, yr halen, y pupur, y carboned
   soda, yr hufen tartar a'r mwstard sych i bowlen go
   fawr.

2 Mae'r dull o hyn ymlaen yn union fel dull y *Sgons
   melys,* ond defnyddiwch dorrwr ymyl plaen 1½"
   (4cm) ar ei draws.

3 Gweinwch wedi eu haneru. Rhowch fenyn ar
   bob hanner gyda sleisen o gaws a sleisen denau o
   domato ar y menyn.

CACEN FORON ▰

12 owns (340g) o foron wedi eu plicio a'u gratio'n
    weddol fân

8 owns (225g) o siwgr demerara

4 ŵy

8 owns (225g) o flawd codi cyflawn neu wyn

llond llwy de wastad o bowdr codi

chwarter llond llwy de o bowdr sinamon

chwarter llond llwy de o nytmeg wedi ei ratio

4 owns (115g) o goconyt wedi ei sychu

4 owns (115g) o syltanas

6 owns hylifol (170ml) o olew blodau haul

Yr eisin lemwn

4 owns (115g) o gaws hufennog Philadelphia

2 owns (55g) o fenyn wedi ei feddalu ychydig

2 owns (55g) o siwgr eisin wedi ei ogru

sudd hanner lemwn

Popty 190°C | Ffan 170°C | Nwy 5

1. Rhowch y popty i boethi ac irwch dun 12 x 8 x 1½" (30 x 20 x 4cm), sef tun cig bach, a'i leinio efo papur menyn. Irwch y papur. Gogrwch y blawd, y powdr codi, y powdr sinamon a'r nytmeg gyda'i gilydd a rhoi'r gymysgfa o'r neilltu am y tro.

2. Chwisgiwch yr wyau a'r siwgr gyda'i gilydd yn dda nes y bydd y gymysgfa wedi gwynnu a thewychu. Tra bo'r peiriant yn dal i droi, ychwanegwch yr olew ychydig ar y tro ac yn araf bach. Trowch y peiriant i ffwrdd pan fydd y cwbl wedi cymysgu.

3. Ychwanegwch y cynhwysion eraill trwy eu plygu i mewn yn ofalus efo llwy fwrdd – h.y., peidiwch â'u chwisgio ond gofalwch fod popeth wedi ei gymysgu'n drwyadl.

4. Tywalltwch y gymysgfa i'r tun, ei lefelu a'i choginio am tua 40 munud. Gadewch i'r gacen oeri yn y tun cyn ei throi allan a'i haddurno ag eisin lemwn.

5. Paratowch yr eisin trwy gymysgu'r holl gynhwysion gyda'i gilydd nes y bydd yn hufennog a llyfn a'i ddefnyddio i orchuddio wyneb y gacen. Defnyddiwch fforc i wneud patrwm arno. Torrwch y gacen yn ddarnau hirsgwar a'u cadw mewn tun a chaead arno. Cewch eu cadw yn y tun yn y rhewgell os mynnwch, yn enwedig gan nad yw'n ddoeth cadw'r eisin caws yng ngwres yr ystafell yn hir iawn. Gallwch estyn darnau o'r rhewgell fel bo'r angen a'u dadmer.

CACEN FORON HEB FLAWD ![Ll]

llond llwy de o fenyn

6 ŵy wedi eu gwahanu

8 owns (225g) o siwgr

12 owns (340g) o foron wedi eu berwi, eu hidlo ac yna eu hylifo i wneud *purée*

llond llwy fwrdd o groen oren wedi ei ratio

llond llwy fwrdd (15ml) o frandi neu sudd oren

12 owns (340g) o almonau mâl

Popty 170°C | Ffan 150°C | Nwy 3

1 Defnyddiwch y menyn i iro tun cacen crwn 9" (23cm) a gwaelod rhydd iddo.

2 Mewn powlen ganolig ei maint, curwch y melynwy i'w dewychu ychydig. Ychwanegwch y siwgr yn raddol a churwch y gymysgfa nes y bydd wedi tewychu a'i lliw fel hufen.

3 Ychwanegwch y *purée* moron, croen yr oren, y brandi (neu'r sudd oren) a'r almonau mâl a chymysgwch y cyfan yn drwyadl.

4 Mewn powlen arall fawr, curwch y gwynnwy nes y bydd yn stiff. Plygwch hwn i mewn i'r gymysgfa foron â llwy fwrdd.

5 Tywalltwch y gymysgfa i'r tun cacen a llyfnwch â chefn llwy fwrdd.

6 Pobwch am 50 munud. Gadewch y gacen i oeri am chwarter awr yn y tun cyn ei throi allan i oeri'n gyfan gwbl ar rwyll oeri.

7 Taenwch eisin drosti cyn ei rhoi ar y bwrdd (gw. *Cacen foron*, tud. 222).

CACEN SINSIR 🖋️

Rwyf wedi profi beth wmbredd o risetiau cacen sinsir ond hon yw'r orau o bell ffordd yn fy marn i. Mae'n ludiog a blasus ac yn werth ei gwneud. Gellir defnyddio tun sgwâr, tun hirsgwar, tun bara neu dun rhostio ond un tun rhostio yw'r gorau gen i. Gellir gwneud y gacen mewn tun o siâp arall ond sicrhewch fod y gymysgfa yn cyrraedd tri chwarter y ffordd i fyny'r tun, a dim pellach, cyn ei rhoi yn y popty.

4 owns (115g) o driog du

4 owns (115g) o driog melyn

8 owns (225g) o fargarîn

8 owns (225g) o siwgr brown meddal

12 owns (340g) o flawd plaen

chwarter llond llwy de wastad o halen

2 lond llwy fwrdd wastad o bowdr sinsir

3 llond llwy de wastad o bowdr sinamon

2 ŵy

hanner peint (285ml) o lefrith

2 lond llwy de wastad o garboned soda

ychydig o olew

Bydd arnoch angen tun rhostio 7½ x 11½" (19 x 29cm).

Popty 150°C | Ffan 130°C | Nwy 2

1 Irwch y tun gyda'r olew a'i leinio efo papur menyn (gw. *Leinio tun cacen*, pennod *Briwsion*). Irwch y papur menyn yn ysgafn. Cymerwch drafferth gyda'r gwaith o leinio tun cacen bob amser gan y bydd siâp y gacen ar ôl iddi grasu'n dibynnu ar y gofal a gymerwyd wrth baratoi'r tun. Pwyswch y triog du a'r triog melyn yn ofalus yn y sosban ar y glorian (gw. *Pwyso triog*, pennod *Briwsion*).

2 Ychwanegwch y margarîn a'r siwgr brown meddal, tynnwch y sosban oddi ar y glorian a thoddwch y cynhwysion dros wres isel. Dylid eu troi â llwy bren drwy gydol yr amser.

3 Tynnwch y sosban oddi ar y gwres a gadael i bopeth oeri am ychydig.

4 Gogrwch y blawd, yr halen, y powdr sinsir a'r sinamon yn syth i'r gymysgfa yn y sosban. Ychwanegwch yr wyau wedi eu curo a chymysgwch y cyfan yn drwyadl.

5 Cynheswch y llefrith a'i dywallt am ben y carboned soda mewn powlen. Trowch am eiliad neu ddwy a chymysgwch hwn yn drwyadl i mewn i gynnwys y sosban.

6 Tywalltwch i'r tun a phobwch am awr a chwarter i awr a hanner. Gadewch i'r gacen oeri'n gyfan gwbl yn y tun – mae hyn yn ei gwneud yn fwy llaith. Mae ei blas yn gwella os cedwir hi wedi ei lapio mewn ffoil, mewn tun, am ddiwrnod neu ddau cyn ei bwyta.

CACEN RIWBOB AC OREN 🍃LL

Mae hon yn flasus i'w bwyta'n gynnes fel pwdin gyda hufen, neu'n oer fel cacen efo paned!

12 owns (340g) o goesau riwbob ifanc wedi eu golchi a'u sychu a'u torri'n ddarnau 1½" (4cm) o hyd

8 owns (225g) o siwgr mân euraidd (siwgr heb ei buro yw hwn sy'n fwy blasus na siwgr gwyn, ond cewch ddefnyddio'r un gwyn yn ei le os mynnwch)

sudd a chroen un oren fechan – y croen wedi ei ratio'n weddol fân

5 owns (140g) o fenyn wedi ei feddalu ychydig

2 ŵy wedi eu curo

hanner llond llwy de o bowdr codi

3 owns (85g) o flawd codi

4 owns (115g) o almonau mâl

Yr addurn

owns (28g) o fenyn

owns (28g) o siwgr meddal brown golau

croen hanner oren fechan wedi ei ratio'n weddol fân

2 owns (55g) o almonau tafellog

siwgr eisin i'w ogru dros y gacen

Popty 190°C | Ffan 170°C | Nwy 5

1 Paratowch yr addurn trwy doddi'r menyn mewn sosban ac ychwanegu'r siwgr, croen yr oren a'r cnau almon a'u cymysgu'n ofalus. Rhaid ei gael yn barod fel y bydd y gacen yn dod o'r popty yng ngham 10.

2 I wneud y gacen, cymysgwch y darnau riwbob gyda 2 owns (55g) o'r siwgr mân euraidd a'u rhoi o'r neilltu am tuag awr. Dylid eu cymysgu unwaith neu ddwy yn ystod y cyfnod hwn.

3 Yn y cyfamser, irwch dun cacen crwn, dwfn 9" (23cm) a leiniwch ei waelod â phapur menyn.

4 Curwch y menyn a gweddill y siwgr mân euraidd (6 owns, 170g) gyda'i gilydd mewn powlen go fawr nes y bydd y gymysgfa'n ysgafn ac wedi gwynnu.

5 Ychwanegwch yr wyau'n raddol a chymysgu'r cyfan.

6 Gogrwch y blawd, y powdr codi a'r almonau mâl gyda'i gilydd a'u hychwanegu at gynnwys y bowlen. Cymysgwch y cyfan nes y bydd yn berffaith llyfn ond peidiwch â'i orgymysgu.

7 Ychwanegwch sudd a chroen yr oren a chymysgu'r cyfan.

8 Rhowch y gymysgfa yn y tun a llyfnwch yr wyneb gyda chefn llwy fwrdd.

9 Hidlwch y riwbob a baratowyd eisoes (ni fydd angen y sudd) a gosodwch y darnau yn daclus yma ac acw dros wyneb y gacen. Pobwch am 25 munud.

10 Tynnwch y gacen o'r popty a throwch wres y popty i lawr i 180°C (Ffan 160°C, Nwy 4). O hyn ymlaen, gweithiwch gyda pheth brys gan na fydd y gacen wedi gorffen coginio ac felly'n feddal yn ei chanol ac yn debygol o fynd i lawr yn y canol.

11 Gwasgarwch yr addurn yn ysgafn a gofalus dros wyneb y gacen a phobwch ar y gwres is am 15–20 munud arall neu nes y bydd yn teimlo'n gadarn yn ei chanol i bwysau blaen bys. Wedi iddi oeri, gogrwch y siwgr eisin drosti.

• •

Cacen ddatys a chnau Ffrengig

pwys a hanner (680g) o flawd codi

12 owns (340g) o fargarîn

12 owns (340g) o siwgr

4 owns (115g) o gnau Ffrengig wedi eu malu'n fras

pwys (450g) o ddatys heb y cerrig wedi eu malu'n fras

llond llwy de a hanner o garboned soda

3 ŵy

3 cwpanaid o ddŵr berwedig

Bydd arnoch angen 2 dun bara 2 bwys (900g).

Popty 150°C | Ffan 130°C | Nwy 2
am awr, yna gostwng y gwres i

Popty 100°C | Ffan 80°C | Nwy 1/2
am awr a hanner i 2 awr.

1 Gogrwch y blawd. Rhwbiwch y margarîn i mewn iddo ac yna ychwanegwch y siwgr a'r cnau.

2 Rhowch y datys mewn powlen ac ychwanegwch y dŵr berwedig fesul cwpanaid. Ychwanegwch y carboned soda a'i gymysgu. Gadewch iddo oeri i wres bys.

3 Ychwanegwch yr wyau, y datys a'u dŵr at y gymysgfa flawd a'u cymysgu'n drwyadl.

4 Pobwch mewn tuniau bara wedi eu hiro a'u leinio efo papur menyn (gw. *Leinio tun cacen,* pennod *Briwsion*). Irwch y papur yn ysgafn ymlaen llaw. Gall gor-iro'r papur greu crystyn braidd yn grimp i'r dorth.

5 Pan fyddant wedi pobi, brwsiwch wyneb y cacennau efo llefrith.

CACEN SIMNEL

Ar ddiwedd yr unfed ganrif ar bymtheg, pan ddeuai merched a oedd yn gweini oddi cartref yn ôl adref, arferent ddod â chacen ffrwythau flasus, gyda marsipán arni, adref efo nhw i ddangos beth oeddent wedi ei ddysgu. Dyma, meddir, yw tarddiad traddodiad Sul y Mamau. Yr enw ar y gacen oedd cacen simnel. Gallwch ddefnyddio unrhyw risêt o'ch dewis, ond un ar gyfer cacen Nadolig y byddaf i'n ei defnyddio (gweler tud. 196 a 198). Ond diffiniad syml o gacen simnel yw cacen ffrwythau gyda haenen o farsipán yn ei chanol ac addurn o farsipán arni. Yn yr addurn mae cylch o 11 o beli bychain o farsipán sydd yn cynrychioli'r 11 disgybl ffyddlon, gan hepgor Judas.

1 Mae angen tua hanner i dri chwarter pwys (225–340g) o farsipán, yn dibynnu ar faint y gacen. Cymerwch ryw draean o'r marsipán a'i rolio allan yn gylch sydd ychydig yn llai na maint y tun y byddwch yn coginio'r gacen ynddo.

2 Paratowch gymysgfa eich cacen yn barod i'w rhoi yn y tun. Rhowch hanner y gymysgfa yn y tun a llyfnwch gyda chefn llwy fwrdd. Gosodwch y cylch marsipán ar ei ben yn y tun ond sicrhewch nad yw'n cyffwrdd ymylon y tun rhag iddo losgi. Ychwanegwch weddill y gymysgfa gan lyfnu ei hwyneb yn yr un modd ag o'r blaen.

3 Ar ôl tynnu'r gacen allan o'r popty ac wedi iddi oeri, rhaid ei haddurno efo'r marsipán. Rholiwch weddill y marsipán yn gylch yr un maint â thop y gacen. Torrwch gylch allan o ganol hwn tua 4–5" (10–12cm) ar ei draws a gwnewch 11 o beli bach allan ohono.

4 Gosodwch y cylch marsipán sydd â thwll yn ei ganol ar ben y gacen a'i frwsio gydag ŵy wedi ei guro. Gosodwch yr 11 pêl yn gylch taclus ar y marsipán a'u brwsio hwythau hefyd gyda'r ŵy.

5 Gosodwch ffoil i orchuddio'r cylch bychan o'r gacen sydd yn y golwg yng nghanol y marsipán – rhag iddo losgi yn y cam nesaf.

6 Rhowch y gril i boethi. Yna, rhowch y gacen o dan y gril (tua 4", 10cm oddi wrth y gwres) a'i gadael am gyfnod byr nes y bydd y marsipán yn felyn frown. Dylid ei wylio drwy gydol yr amser rhag iddo losgi. Gadewch iddo oeri. Tynnwch y ffoil i ffwrdd a llenwch y cylch ag eisin *glacé* (gw. *Eisin glacé*, pennod *Briwsion*). Clymwch ruban o amgylch y gacen i orffen yr addurno.

TORTH FFRWYTHAU 🍃

Cefais y risêt yma gan ffrind flynyddoedd yn ôl ac nid yw byth yn methu. Mi gymerodd hon le'r dorth frith yn ein tŷ ni. Gofalwch eich bod yn defnyddio'r un gwpan (tua 8 owns hylifol, 225ml) i fesur y llefrith a'r siwgr.

cwpanaid o lefrith

cwpanaid o siwgr

4 owns (115g) o fenyn

8–10 owns (225–285g) o ffrwythau cymysg

2 ŵy wedi eu curo

8 owns (225g) o flawd codi

Popty 150˚C | Ffan 130˚C | Nwy 2

1 Irwch 2 dun bara pwys neu un tun deubwys a'u leinio efo papur menyn.

2 Rhowch y llefrith, y siwgr, y menyn a'r ffrwythau cymysg mewn sosban a chymysgwch yn drwyadl. Dewch â'r cyfan yn araf i'r berw a'i adael i ffrwtian am 3 munud. Gadewch iddo oeri. Gellid paratoi hwn y noson cynt i arbed amser.

3 Gogrwch y blawd i bowlen go fawr. Ychwanegwch y gymysgfa ffrwythau (sy'n awr wedi oeri) a'r wyau wedi eu curo a chymysgwch y cyfan yn dda.

4 Tywalltwch y gymysgfa i'r tun/tuniau a phobwch am awr i awr a hanner yn ôl maint y tun. Fe welwch fod y gacen yn y tuniau llai yn coginio'n gynt. Os ydych yn ansicr a yw'n barod ai peidio, profwch â sgiwer. Os daw allan yn lân, mae'n barod.

5 Tynnwch allan o'r popty a brwsiwch ychydig o lefrith dros wyneb y dorth – mae hyn yn rhoi crystyn meddalach iddi – a gadewch iddi oeri'n gyfan gwbl yn y tun.

6 I'w bwyta, sleisiwch yn weddol drwchus a thaenwch fenyn ar y sleisiau.

Brownies America ⬛

2 owns (55g) o siocled coginio plaen

4 owns (115g) o fenyn

2 ŵy wedi eu curo

8 owns (225g) o siwgr

2 owns (55g) o flawd plaen

llond llwy de o bowdr codi

chwarter llond llwy de o halen

4 owns (115g) o gnau wedi eu malu'n fras (cnau cyll,
cnau Ffrengig, almon neu gymysgedd)

Popty 180˚C | Ffan 160˚C | Nwy 4

1 Irwch dun 7 x 11 x 1½" (18 x 28 x 4cm) a'i leinio â phapur menyn. Dylai'r papur fod 2" (5cm) yn uwch nag ymylon y tun gan fod y gymysgfa yn codi tipyn go lew yn y popty.

2 Toddwch y menyn a'r siocled mewn powlen sy'n sefyll dros sosban o ddŵr berwedig. Gofalwch nad oes dŵr yn mynd i'r siocled neu bydd yn siŵr o ddifetha (gw. *Toddi siocled*, pennod *Briwsion*).

3 Tynnwch y sosban oddi ar y gwres a thynnwch y bowlen oddi arni. Ychwanegwch weddill y cynhwysion at y siocled. Cymysgwch yn drwyadl.

4 Tywalltwch i'r tun a'i daenu nes y bydd ei wyneb yn llyfn cyn ei roi yn y popty. Pobwch am hanner awr neu nes daw sgiwer allan yn lân o ganol y gacen wrth ei phrofi. Peidiwch â gorbobi gan ei bod yn caledu wrth oeri.

5 Gadewch iddi oeri am 10 munud cyn ei thorri'n ddarnau hirsgwar. Yna gadewch iddi oeri'n gyfan gwbl cyn ei throi allan a'i chadw mewn tun neu focs plastig a chaead arno.

BACLAFA ⬛

Roedd Hywel o'r farn mai rhywbeth yr oedd o'n ei wisgo dros ei ben i gadw'n gynnes oedd baclafa! Mewn gwirionedd, cacen o wlad Twrci ydi hi sy'n felys ac yn llawn braster. Rwyf wedi ei bwyta yng ngwlad Groeg hefyd ac mae'n amlwg ei bod yn gacen gyffredin yn y rhan honno o Ewrop.

I WNEUD 12 CACEN FACH

pwys (450g) o does crwst ffilo

12 owns (340g) o gnau pistasio (neu gnau cyll) wedi eu tostio'n felyn frown a'u malu'n fân

8 owns (225g) o fenyn wedi ei doddi

hanner i un llond llwy de o bowdr sinamon

Ar gyfer y surop

peint (570ml) o ddŵr

2 bwys (900g) o siwgr

un i 2 lond llwy de (5–10ml) o sudd lemwn

Popty 180°C | Ffan 160°C | Nwy 4

1   Mae'n angenrheidiol cadw'r crwst ffilo o dan orchudd pan nad ydych yn ei ddefnyddio. Os na wneir hyn, bydd yn siŵr o sychu'n grimp a difetha.

2   Irwch dun pobi gweddol ddwfn, neu dun cig, gydag ychydig o'r menyn. Gosodwch haenen o'r crwst ar y tun (gan osod y gorchudd yn ôl dros y gweddill) a'i frwsio â pheth o'r menyn wedi toddi. Gwasgarwch ychydig o'r cnau a'r sinamon drosto. Gorchuddiwch â haenen arall o'r crwst.

3   Ewch ymlaen fel hyn fesul haenen nes bod y crwst, y cnau a'r sinamon wedi eu defnyddio, a'r rhan fwyaf o'r menyn. Brwsiwch yr haenen olaf o'r crwst, sef yr un sydd ar y top, yn dda gyda gweddill y menyn.

4   Defnyddiwch gyllell finiog i farcio top y crwst yn 12 darn hirsgwar.

5   Pobwch am tua thri chwarter awr neu nes y bydd y baclafa yn felyn frown. Gadewch iddi oeri ychydig yn y tun ond peidiwch â'i thynnu allan ohono.

6   Yn y cyfamser, paratowch y surop. Rhowch y dŵr a'r sudd lemwn mewn sosban ac ychwanegwch y siwgr a'i doddi'n araf dros wres gweddol isel. Dewch â'r gymysgfa i'r berw, trowch y gwres i lawr a'i mudferwi am tua 10 munud neu nes y bydd wedi tewychu'n surop. Gellir ychwanegu ychydig o nodd fanila os dymunwch.

7   Tywalltwch y surop poeth dros y baclafa a'i gadael nes y bydd wedi mwydo drwyddi yn y surop. Gadewch iddi oeri cyn ei thorri'n ddarnau a'i bwyta. Yn hytrach na cheisio'i chadw mewn tun cacen a gwneud llanast efo'r surop, ei gadael yn y tun pobi fydda i.

CACEN GWSTARD

toes crwst brau (gw. *Quiche madarch a nionod*, tud. 122)

hanner peint (285ml) o lefrith

2 ŵy mawr wedi eu curo

2 lond llwy fwrdd o siwgr mân

nytmeg wedi ei ratio

Popty 190°C | Ffan 170°C | Nwy 5

1   Rholiwch y toes allan a leiniwch dun fflan 7"
     (18cm) efo fo. Gofalwch eich bod yn gwneud yn
     siŵr bod y toes yn dilyn ymylon rhychiog y tun
     (os mai tun felly sydd gennych) ac yn yr un modd
     yn gorwedd yn dynn a gwastad ar waelod y tun.

2   Dilynwch y cyfarwyddiadau manwl sydd yn
     Crwst fflan ym mhennod *Briwsion*.

3   Cymysgwch yr wyau, y llefrith a'r siwgr efo'i
     gilydd mewn sosban a'u cynhesu am funud neu
     ddau nes dônt i wres bys. Hidlwch y gymysgfa'n
     ofalus i mewn i'r crwst fflan. Gratiwch nytmeg
     drosto. Peidiwch â phrynu nytmeg wedi ei ratio'n
     barod gan nad oes cystal blas arno.

4   Pobwch am 30–40 munud neu nes y bydd y
     cwstard ŵy wedi setio a brownio ar yr wyneb.

5   I sicrhau bod y cwstard ŵy wedi setio, profwch
     gyda chyllell (gw. *Cwstard wedi setio,* pennod
     Briwsion).

CACEN BWDIN 🖋️Ll

Roedd Nain 'Stiniog (Tanygrisiau i fod yn fanwl gywir) yn gwneud cacen bwdin ers talwm ac ew, mi roedd hi'n dda – ond mae hon yn well na honno hyd yn oed. A dweud y gwir, pwdin bara ydi'r risêt yma ond eich bod yn ei fwyta efo bys a bawd fel cacen. Mae'n gyfleus iawn ar gyfer pecyn bwyd.

torth 2 bwys (900g) sy'n ddiwrnod oed (gw. isod)

6 owns (170g) o fenyn wedi ei feddalu ychydig, neu fargarîn

llond llwy fwrdd o sbeis cymysg

llond llwy de a hanner o nytmeg wedi ei ratio

6 owns (170g) o siwgr demerara

12–14 owns (340–400g) o ffrwythau sych cymysg

un ŵy canolig wedi ei guro

Bydd angen torth wen o'r becws i wneud y gacen hon. Wneith bara wedi ei sleisio o'r archfarchnad mo'r tro. Mae hwnnw'n toddi mewn dŵr fel papur sidan!

Popty 180°C | Ffan 160°C | Nwy 4

1   Torrwch y crystyn oddi ar y dorth.

2   Torrwch y bara yn ddarnau go fawr a'u rhoi mewn powlen fawr a'u gorchuddio â dŵr oer. Rhowch blât dros y bara i wneud yn siŵr ei fod yn aros o dan wyneb y dŵr a'i adael am o leiaf chwarter awr i fwydo'n llwyr.

3   Gwasgwch y dŵr o'r bara yn eich dwylo cyn ei roi mewn powlen gyda 5 owns (140g) o'r menyn meddal neu'r margarîn, y sbeis cymysg a'r nytmeg. Cymysgwch y cyfan nes y bydd yn llyfn.

4   Ychwanegwch 5 owns (140g) o'r siwgr, y ffrwythau cymysg a'r ŵy a churwch y gymysgfa'n drwyadl.

5   Tywalltwch i dun pobi hirsgwar 12 x 6 x 1" (30 x 15 x 2.5cm) sydd wedi ei iro'n dda.

6   Llyfnwch wyneb y gacen cyn sgeintio gweddill y siwgr drosti.

7   Rhowch ddarnau bach o'r menyn/margarîn sydd yn weddill yma ac acw ar ben y siwgr a phobwch am awr a hanner. Ar ôl tri chwarter awr neu cyn gynted ag y bo'r gacen yn dechrau brownio rhowch ffoil drosti rhag iddi losgi.

8   Gadewch iddi oeri cyn ei thorri'n sgwariau a'u lapio mewn *cling film* neu bapur cwyr.

9   Gallwch rewi peth o'r gacen a'i dadmer yn yr oergell fesul darn neu fel bo'r angen. Efallai ei bod ychydig yn wlypach ar ôl ei rhewi ond ni fyddai neb yn sylwi.

CACEN EIRIN 🍃

Dyma gacen sy'n flasus, llaith ac yn plesio pawb. Mae'n rhaid leinio'r tun yn yr un modd â leinio tun cacen Nadolig rhag i'r gacen frownio gormod. Hynny yw, lapio papur newydd o amgylch y tu allan i'r tun a'i roi i sefyll ar drwch o bapur newydd ar dun pobi.

12 owns (340g) o flawd codi

hanner llond llwy de o halen

llond llwy de o sinamon

6 owns (170g) o fargarîn caled

3 owns (85g) o siwgr brown meddal

3 owns (85g) o syltanas

9–10 o eirin – tua phwys (450g)

6 llond llwy fwrdd o driog melyn

3 ŵy

I'w daenu dros y gacen

2 lond llwy fwrdd o siwgr brown meddal

llond llwy de o sinamon

Popty   180°C | Ffan 160°C | Nwy 4

1   Irwch a leiniwch dun crwn 8" (20cm).

2   Gogrwch y blawd, yr halen ac un llond llwy de o sinamon i bowlen fawr. Ychwanegwch y margarîn, ei dorri'n ddarnau efo cyllell ac yna ei rwbio i mewn i'r blawd nes y bydd y gymysgfa'n friwsionllyd. Ychwanegwch y siwgr brown a'r syltanas a chymysgu'r cyfan.

3   Torrwch yr eirin yn eu hanner a thaflwch y cerrig. Rhowch 10 o'r haneri eirin o'r neilltu a thorrwch y gweddill yn fân.

4   Rhowch y triog melyn a'r wyau mewn powlen a'u curo'n ysgafn. Ychwanegwch y rhain at y gymysgfa flawd a chymysgwch yn drwyadl.

5   Plygwch yr eirin wedi eu torri'n fân i mewn i'r gymysgfa ac yna ei rhoi yn y tun cacen. Defnyddiwch gefn llwy fwrdd i lyfnu wyneb y gacen. Gosodwch yr haneri eirin, â'r ochr wastad at i lawr, dros wyneb y gacen yn gylch taclus gydag un neu ddau yn y canol hefyd.

6   I orffen, cymysgwch y 2 lond llwy fwrdd o siwgr brown a'r llond llwy de o sinamon gyda'i gilydd a'u gwasgaru dros wyneb y gacen. Lapiwch bapur newydd o amgylch y tun, ei glymu efo llinyn a'i roi i sefyll ar bapur newydd ar y tun pobi. Rhowch ddarn arall o bapur newydd, gyda thwll maint pisin 50c yn ei ganol, i orwedd ar ben y tun.

7   Rhowch yn y popty am tuag awr a hanner. Os nad yw'r gacen wedi brownio digon ar ôl awr a chwarter, tynnwch y darn papur efo twll ynddo i ffwrdd am y chwarter awr olaf. Gadewch iddi oeri'n gyfan gwbl yn y tun cyn ei throi allan. Lapiwch y gacen mewn ffoil a'i chadw am ddeuddydd cyn ei bwyta. Mae'n cadw'n iawn am wythnos o leiaf, a'r blas yn gwella bob dydd.

Cacen hufen mefus 🌿 Ll

Y sbwng

un ŵy mawr

2 owns (55g) o siwgr mân

2 owns (55g) o flawd codi

hanner llond llwy de o bowdr codi

2 owns (55g) o fargarîn meddal

Yr hufen mefus

pwys (450g) o fefus

3 owns (85g) o siwgr eisin

2 owns hylifol (55ml) o sudd oren neu Bacardi

sudd a chroen un leim – y croen wedi ei ratio

twb hanner peint (285ml) o hufen dwbl

twb hanner peint (285ml) o iogwrt tew, blas mefus

diferyn o nodd fanila

Popty 180°C | Ffan 160°C | Nwy 4

1 Irwch dun cacen crwn, dwfn 7" (18cm) a gwaelod rhydd iddo a leiniwch ei waelod â phapur menyn.

2 Gogrwch y blawd a'r powdr codi gyda'i gilydd i bowlen. Ychwanegwch y gweddill o gynhwysion y sbwng a'u curo'n dda gyda'i gilydd. Rhowch yn y tun a phobwch am 15–18 munud. Trowch y gacen allan o'r tun a'i rhoi o'r neilltu i oeri. Golchwch y tun.

3 Cadwch ychydig o'r mefus o'r neilltu i'w gweini gyda'r gacen os mynnwch. Rhowch y gweddill mewn powlen gyda 2 owns (55g) o'r siwgr eisin, y Bacardi neu'r sudd oren a chroen a sudd y leim a rhowch o'r neilltu am 5 munud. Yna gwnewch *pureé* ohono mewn hylifydd.

4 Curwch yr hufen, yr iogwrt, gweddill y siwgr eisin a'r nodd fanila nes y bydd y gymysgfa wedi tewychu. Tywalltwch i bowlen go fawr.

5 Plygwch tua dwy ran o dair o'r *pureé* i mewn i'r gymysgfa hufen i greu'r hufen mefus. Cadwch y gweddill fel saws – os byddwch am ei weini fel pwdin yn hytrach na chacen.

6 Leiniwch y tun cacen a ddefnyddiwyd ar y dechrau gyda *cling film* gan adael digon ohono yn hongian dros yr ochr. Rhowch y gacen sbwng yn y tun.

7 Tywalltwch yr hufen mefus ar ben y gacen yn y tun a'i rhoi yn y rhewgell am 3–4 awr nes y bydd wedi caledu.

8 Codwch y gacen allan o'r tun gerfydd y *cling film* gan wthio o'r gwaelod ar yr un pryd. Tynnwch y *cling film* i ffwrdd a rhowch y gacen ar blât. Gadewch iddi ddadmer am ychydig oriau yng ngwres yr ystafell neu dros nos yn yr oergell cyn ei gweini (gyda'r saws a'r mefus a gadwyd os mynnwch).

CACENNAU BACH TAFFI 🌿LL

Y fisged

2 owns (55g) o siwgr

4 owns (115g) o fenyn

4 owns (115g) o flawd plaen wedi ei ogru

hanner llond llwy de o bowdr codi wedi ei ogru

Y llenwad

4 owns (115g) o fenyn

3 owns (85g) o siwgr

6 owns (170g) o laeth cyddwys (prynwch mewn tiwb plastig er hwylustod)

llond llwy fwrdd o driog melyn

Yr addurn

6 owns (170g) o siocled coginio

tamaid bach maint cneuen o fenyn

Popty 180°C | Ffan 160°C | Nwy 4

1   Paratowch y fisged. Curwch y menyn a'r siwgr gyda'i gilydd nes y bydd y gymysgfa yn ysgafn a gwyn ei lliw. Ychwanegwch y blawd a'r powdr codi a chymysgwch yn drwyadl.

2   Rhowch y gymysgfa mewn tun gweddol fas 8" (20cm) sgwâr wedi ei iro. Taenwch yn wastad dros waelod y tun ac yna ei phigo yma ac acw â fforc rhag i'r fisged godi'n anwastad tra bo'n coginio. Pobwch am tua chwarter awr neu nes y bydd wedi brownio ychydig.

3   Paratowch y llenwad tra bo'r fisged yn y popty. Toddwch y menyn, y siwgr, y llaeth cyddwys a'r triog melyn mewn sosban fach gan ofalu ei droi â llwy bren drwy gydol yr amser. Peidiwch â defnyddio sosban *non-stick*, os yn bosib, gan nad yw'n gwneud cystal taffi.

4   Gadewch i'r taffi ddod i'r berw yn araf ac yna ei fudferwi am 5–10 munud nes y bydd yn weddol dew a'i liw yn frown golau. Trowch drwy'r adeg rhag iddo losgi a difetha. Tywalltwch y taffi ar ben y fisged pan ddaw honno allan o'r popty a thra bo'r ddau yn gynnes. Gadewch i'r cyfan oeri.

5   Paratowch yr addurn. Toddwch y siocled a'r darn bach o fenyn mewn powlen sy'n sefyll dros sosban sy'n cynnwys ychydig o ddŵr berwedig. Gofalwch nad oes dŵr yn mynd ar y siocled rhag iddo ddifetha (gw. *Toddi siocled*, pennod *Briwsion*).

6   Tywalltwch y siocled dros wyneb y taffi yn y tun.

7   Pan fydd y siocled yn dechrau caledu, marciwch ef yn sgwariau. Ar ôl iddo galedu'n iawn, torrwch y sgwariau allan a'u cadw mewn tun.

Picls a jam

Hel mwyar duon

… nadreddu i ddyfnder y môr drain
ac ymestyn, ymestyn am y ffrwyth brenhinol
fel ceisio nofio heb ollwng gafael ar y llawr.
Ond rhywsut, rhywfodd, llwyddo
nes bod ein tuniau'n
crynu'n groen drwm o gyffro
ac yn chwyddo'n fynyddoedd llachar, dyfrllyd.
A ninnau'n socian yn ein chwys.

detholiad o gerdd gan Gerwyn Wiliams
(o *Blodeugerdd o Farddoniaeth Gymraeg yr Ugeinfed Ganrif*,
gol. Alan Llwyd a Gwynn ap Gwilym)

Jam riwbob a mango

Ar gyfer tua 5 pwys (2.27cg)

2 bwys (900g) o riwbob wedi ei sleisio

3 phwys (1.36cg) o siwgr jam

sudd 2 lemwn

pwys (450g) o mango

1   Rhowch y riwbob, y siwgr a'r sudd lemwn mewn powlen fawr. Cymysgwch yn drwyadl, gorchuddiwch a gadewch iddo sefyll dros nos.

2   Y diwrnod canlynol, pliciwch y mango a'i sleisio yn dafelli bob ochr i'r garreg. Torrwch y sleisiau'n ddarnau llai a'u rhoi gyda'r gymysgfa riwbob a siwgr mewn sosban neu badell gwneud jam (gw. *Sosban jam*, pennod *Briwsion*).

3   Dewch â'r cyfan i'r berw gan ofalu ei droi drwy gydol yr amser nes y bydd y siwgr wedi toddi, a'i ferwi nes y bydd y jam yn barod (tua 15–20 munud). I brofi bod y jam yn barod defnyddiwch soser sydd wedi oeri yn y rhewgell ers 10 munud. Rhowch lond llwy o'r jam ar y soser oer. Gadewch yno am un funud ac yna gwthiwch y jam gyda'ch bys. Os yw'n barod dylai wyneb y jam grychu wrth ei wthio. Os na wnaiff hyn, dylid ei ferwi am ychydig eto a'i brofi fel o'r blaen.

4   Gadewch i'r jam oeri am hanner awr, a chodwch y sgùm oddi ar wyneb y jam. Yn y cyfamser, bydd angen diheintio potiau glân (gw. *Potiau jam*, pennod *Briwsion*). Tywalltwch y jam i'r potiau. Gorchuddiwch gyda chylch o bapur cwyr gyda'r ochr a chwyr arni at i lawr. Rhowch y caeadau i orwedd yn eu lle ond peidiwch â'u cau'n dynn nes y bydd y jam wedi oeri.

Ceuled mwyar duon ac afal

Rhag fy mod yn gorfod dioddef cwyno bod yr hadau'n mynd rhwng y dannedd neu'n crensian fel tywod mewn brechdan-lan-môr, dyma roi hwn o flaen y teulu ac maent wedi eu plesio'n arw.

Digon i 3 phwys (1.36cg)

8 owns (225g) o afalau cwcio wedi eu plicio a'u sleisio

pwys (450g) o fwyar duon

llond llwy fwrdd (15ml) o ddŵr

3 owns (85g) o fenyn heb ei halltu

pwys (450g) o siwgr mân

sudd un lemwn a'r croen wedi ei ratio

4 ŵy wedi eu curo

1   Stiwiwch y ffrwythau mewn sosban drwy eu ffrwtian yn y dŵr nes y byddant wedi meddalu. Hidlwch i gael gwared â'r sudd. Gwasgwch y ffrwythau drwy ogr i bowlen nes y bydd dim ond hadau ar ôl yn y gogr. Rhowch y bowlen sy'n cynnwys y stwnsh ffrwythau i sefyll mewn sosban sy'n cynnwys digon o ddŵr berwedig i gyrraedd at ei hanner. Gofalwch nad oes dim o'r dŵr yn mynd i mewn i'r bowlen.

2 Ychwanegwch y menyn a'r siwgr at y ffrwythau a rhowch y sosban ar wres gweddol isel i'w toddi. Ychwanegwch sudd a chroen y lemwn.

3 Tywalltwch yr wyau drwy ogr at weddill y cynhwysion yn y bowlen. Ar y gwres isel o hyd, cymysgwch y cyfan â llwy bren i'w dewychu, ond peidiwch â'i ferwi neu bydd yn siŵr o ddifetha (fel hyn, fe gymer tua hanner awr i dri chwarter i'w dewychu).

4 Tywalltwch y ceuled i botiau glân, cynnes a'u cau yn y dull arferol (gw. *Potiau jam*, pennod *Briwsion*).

5 Os oes gennych sosban ddwbl, defnyddiwch hi yn lle powlen a sosban – mae'n fwy hwylus.

Picl bricyll ac oren

4 oren

2 bwys (900g) o fricyll heb y cerrig

nionyn wedi ei sleisio'n denau

8 owns (225g) o syltanas

pwys (450g) o siwgr demerara

6 owns (170g) o siwgr jam

2 lond llwy de o halen

peint (570ml) o finegr seidr

llond llwy fwrdd o hadau mwstard

llond llwy de o tyrmerig

1 Rhowch yr orennau yn gyfan i ferwi mewn dŵr am 5 munud. Yna pliciwch y croen i gyd efo cyllell finiog. Tynnwch yr haenen wen sydd o dan y croen neu sy'n dal ar yr oren a'i thaflu.

2 Torrwch y croen yn ddarnau hirgul, tua modfedd (2.5cm) o hyd. Torrwch yr oren yn weddol fân.

3 Rhowch y croen a'r oren a gweddill y cynhwysion mewn sosban fawr ac yna dewch â'r cyfan i'r berw a'i fudferwi nes y bydd popeth wedi meddalu a'r gymysgfa wedi tewychu. Dylid ei throi â llwy bren yn awr ac yn y man.

4 Tywalltwch ar unwaith i mewn i botiau sych, sydd wedi eu diheintio, ac yna eu cau'n dynn (gw. *Potiau jam*, pennod *Briwsion*).

Jeli mwyar duon sydyn

Nid yw'r jeli yma'n un y gellir ei gadw am gyfnod hir – rhyw fis efallai – ond gan mai dim ond pwys yn unig a wneir yma, byddwch wedi ei fwyta ymhell cyn diwedd y mis. Oherwydd mai dull cyflym a chyfleus yw hwn, ni fedrwch obeithio am jeli clir fel gyda risetiau mwy traddodiadol.

pwys (450g) o fwyar duon

pwys (450g) o siwgr

6 owns hylifol (170ml) o ddŵr

sudd un lemwn

1 Golchwch y mwyar duon a'u rhoi mewn sosban fawr a gwaelod trwchus iddi. Ychwanegwch y dŵr, rhowch gaead ar y sosban a stiwio'r mwyar yn araf iawn am tuag 20 munud. Dylid gwasgu'r mwyar gyda stwnsiwr tatws yn awr ac yn y man i'w malu a chael cymaint ag y gellir o sudd allan ohonynt.

2 Ychwanegwch y siwgr a'r sudd lemwn a gadewch i'r siwgr doddi'n llwyr dros wres isel. Gwnewch yn berffaith siŵr nad oes gronynnau o siwgr ar ôl heb eu toddi, yn enwedig ar hyd ochrau'r sosban. Dylai hyn i gyd gymryd tua 10–15 munud.

3 Trowch y gwres i fyny a gadewch i'r gymysgfa ferwi'n weddol ffyrnig am 8 munud. Trowch â llwy bren yn awr ac yn y man rhag iddi lynu yng ngwaelod y sosban. Yn y cyfamser rhowch bowlen fawr a phot jam pwys (450g) glân i ddiheintio yn y popty (gw. *Potiau jam*, pennod *Briwsion*).

4 Leiniwch ogr neilon mawr gyda darn 14" (35cm) sgwâr o fwslin. Gosodwch y gogr ar ben y bowlen a thywalltwch y gymysgfa fwyar duon i mewn iddo. Yna, gan ddefnyddio cefn llwy bren, pwyswch y gymysgfa drwy'r mwslin er mwyn gwthio cymaint o'r sudd ag sy'n bosib i'r bowlen. Mae'n bwysig eich bod yn gweithio'n gyflym gan fod y jeli'n setio'n weddol fuan.

5 Tywalltwch y jeli o'r bowlen i'r pot jam a'i orchuddio â phapur cwyr cyn rhoi'r caead arno. Petai'r jeli'n setio cyn ei dywallt i'r pot, y cyfan sydd raid ei wneud yw ei ailgynhesu'n araf.

Nionod picl

nionod bach, i gyd o'r un maint yn ddelfrydol

dŵr hallt, sef hanner pwys (225g) o halen a 4 peint (2.3 litr) o ddŵr

finegr piclo

1 Rhowch y dŵr mewn sosban ac yna ychwanegwch yr halen a'i gynhesu'n araf nes y bydd yr halen wedi toddi. Gadewch iddo oeri.

2 Pliciwch y nionod – mae tywallt dŵr berwedig drostynt i'w sgaldio yn ei gwneud yn haws i'w plicio wedyn.

3 Gwthiwch sgiwer yma ac acw drwy bob nionyn i wneud twll neu ddau fel bod y finegr yn medru piclo'r nionyn yn iawn.

4 Rhowch y nionod mewn powlen a'u gorchuddio â'r dŵr hallt, oer. Gadewch iddynt fwydo am

ddeuddydd. Mae rhoi plât ar ben y nionod yn y dŵr yn help i'w cadw o dan y dŵr.

5   Tynnwch y nionod allan o'r dŵr a'u sychu'n ofalus gyda lliain glân.

6   Paciwch y nionod yn glòs mewn potiau sych a glân ond gofalwch beidio â'u cleisio. Tywalltwch y finegr drostynt i'w gorchuddio.

7   Rhowch gaead ar y potiau a'u cadw am 6 mis cyn eu bwyta – os medrwch ddal cyhyd!

NIONOD PICL MELYS

I WNEUD TUA 10 PWYS (4.5cg)

nionod bach, i gyd o'r un maint yn ddelfrydol

dŵr hallt, sef hanner pwys (225g) o halen a 4 peint (2.3 litr) o ddŵr

Y finegr

2 beint (1.14 litr) o finegr piclo

5 owns (140g) o fêl

12 owns (340g) o siwgr

1   Dilynwch y cyfarwyddiadau o 1 i 6 yn y risêt *Nionod picl* (tud 246) ond peidiwch â chymryd y cam o dywallt y finegr drostynt.

2   Yn hytrach, rhowch y finegr gyda'r mêl a'r siwgr mewn sosban. Dewch â'r cwbl yn araf i'r berw a'i droi drwy gydol yr amser nes y bydd y mêl a'r siwgr wedi toddi. Mudferwch am 5 munud ac yna ei adael dros nos.

3   Tywalltwch y finegr melys dros y nionod. Rhowch gaead ar y potiau a'u labelu. Cadwch am 6 wythnos cyn eu bwyta.

CATWAD RIWBOB A SINSIR

DIGON I WNEUD 5 PWYS (2.27cg)

4 pwys a hanner (2cg) o riwbob wedi ei sleisio a'i dorri wedyn yn ddarnau llai

pwys (450g) o resins wedi eu torri'n fân

4 ewin garlleg wedi eu plicio a'u malu'n fân

owns (28g) o fôn sinsir ffres wedi ei blicio a'i dorri'n fân

2 nionyn wedi eu torri'n fân

llond llwy de o sglodion *chilli* wedi eu sychu

peint a hanner (850ml) o finegr brag tywyll

sudd 2 lemwn

llond llwy fwrdd o halen

2 bwys (900g) o siwgr meddal *muscovado* – yr un brown golau

1 Rhowch y riwbob, y resins, y garlleg, y sinsir, y nionod, y *chilli* a'r finegr mewn sosban fawr lydan sy'n addas i wneud jam (gw. *Sosban jam,* pennod *Briwsion*). Dewch â'r cynhwysion i'r berw ac yna eu mudferwi am 20 munud nes y byddant wedi meddalu.

2 Ychwanegwch y sudd lemwn, yr halen a'r siwgr. Cymysgwch y cyfan nes y bydd y siwgr wedi toddi.

3 Gadewch i'r cyfan ddod i'r berw ac yna ei ferwi am 45–50 munud. Dylid ei droi â llwy bren yn weddol gyson rhag iddo losgi. Erbyn hyn dylai'r picl fod wedi tewychu. I wneud yn siŵr fod y picl yn barod, tynnwch y llwy bren drwy'r picl i wneud llwybr ar hyd gwaelod y sosban fel yr un drwy'r Môr Coch! Os oes finegr neu hylif yn dal i guddio gwaelod y llwybr, yna bydd angen berwi rhagor ar y picl.

4 Tywalltwch ar unwaith i botiau poeth a glân (gw. *Potiau jam,* pennod *Briwsion*). Dylid eu llenwi cyn llawned â phosib.

5 Gorchuddiwch â chylch o bapur cwyr a chaead wedi ei gau'n dynn – nid papur a llinyn neu bydd y picl yn sychu a difetha.

6 Labelwch y potiau pan fydd y picl wedi oeri. Cadwch am fis cyn ei fwyta.

Catwad tomatos coch

O'r India y daeth y gair Saesneg am catwad, sef *chutney*, yn wreiddiol, a gwreiddiau'r gair yn yr iaith Hindi yw rhywbeth oer neu siarp i'w fwyta efo cyrri.

Mae siwgr brown yn rhoi lliw a blas da i'r catwad ond defnyddiwch siwgr gwyn os yw'n well gennych liw goleuach. Hefyd, mae defnyddio siwgr gwyn yn ogystal â finegr gwyn yn help i amlygu lliw coch llachar y tomatos.

Digon i wneud 4 pwys (1.8cg)

6 phwys (2.72cg) o domatos coch aeddfed wedi eu plicio a'u torri'n fân (gw. *Plicio tomatos*, pennod *Briwsion*)

pwys (450g) o nionod wedi eu plicio a'u torri'n fân

owns (28g) o halen

2 lond llwy de o bupur paprica

chwarter llond llwy de o bupur Cayenne

hanner peint (285ml) o finegr sbeis brag

12 owns (340g) o siwgr brown

1 Rhowch y tomatos a'r nionod mewn sosban drom, ddur gwrthstaen (*stainless steel*).

2 Dewch â'r gymysgfa i'r berw ac yna ei mudferwi am tua hanner awr nes y bydd popeth wedi meddalu a thewychu. Mae'r tomatos yn cynnwys llawer o ddŵr ac mae'n rhaid cael gwared â llawer ohono fel hyn cyn ychwanegu'r finegr. Os bydd gormod o ddŵr ar ôl bydd yn gwanhau'r finegr – heb finegr cryf ni fydd y catwad yn cadw.

3 Ychwanegwch yr halen, y pupur paprica a'r pupur Cayenne a hanner y finegr a'i ferwi'n araf am tua thri chwarter awr nes y bydd y gymysgfa wedi tewychu.

4 Ychwanegwch y siwgr a gweddill y finegr a'i droi nes y bydd y siwgr wedi llwyr doddi.

5 Gadewch i'r gymysgfa ffrwtian nes y bydd wedi tewychu unwaith yn rhagor gan ofalu ei throi yn awr ac yn y man. Cymer hyn tua 2 awr. I wneud yn siŵr fod y picl yn barod, tynnwch lwy bren drwy'r picl i wneud llwybr ar hyd gwaelod y sosban. Os oes finegr neu hylif yn dal i guddio gwaelod y llwybr, yna bydd angen berwi rhagor ar y picl. Os gellir agor llwybr sych drwy'r picl, yna mae'r picl yn barod.

Potelu

1 Potelwch tra mae'n boeth mewn potiau glân, sych (gw. *Potiau jam,* pennod *Briwsion*). Llenwch y potiau cyn llawned â phosib a gosodwch gylch o bapur cwyr ar bob un. Rhowch gaead arnynt a'u cau'n dynn fel nad yw'r catwad yn sychu. Peidiwch â defnyddio papur menyn na gorchudd seloffen yn lle caead neu bydd y catwad yn sychu.

2 Dylid cadw'r catwad mewn lle sych, tywyll a gweddol oer am tua 6–8 wythnos cyn ei fwyta.

3 Os bydd hylif wedi ymddangos ar wyneb y catwad ymhen ychydig wythnosau, nid yw wedi ei ferwi'n ddigon hir. Rhowch y catwad yn ôl yn y sosban, dewch â fo i'r berw a'i fudferwi nes y bydd yr hylif wedi mynd. Ailbotelwch fel o'r blaen.

BRIWSION

Bara *naan*

Bara traddodiadol yn Asia gan gynnwys India. Pobir yn yr India drwy slapio'r toes yn sownd tu mewn i bopty clai hynod boeth, y *tandoors*. Tra bo'n glynu yno bydd yn coginio hyd yn oed os bydd cig yn rhostio yn y popty hefyd. Bwyteir gydag unrhyw bryd Indiaidd boed hwnnw'n gig neu'n llysiau. Yma byddwn yn ei goginio yn y popty neu hyd yn oed o dan y gril.

Berwr y gerddi

Mae hwn yn blanhigyn sy'n perthyn i deulu'r bresych ac mae blas pupuraidd i lawer o aelodau'r teulu. Mae rhai yn boethach na'i gilydd. Gwneir defnydd o'r blas hwn gan y cogydd ac mae berwr y gerddi yn ardderchog mewn salad. Fel rheol, mae'r blas yn cryfhau wrth i'r planhigyn dyfu. Mae sawl math ar gael yn y catalogau hadau llysiau. Mae berwr y dŵr a roced yr ardd – dau arall sy'n dda mewn salad – yn perthyn i'r un teulu hefyd. Byddaf yn cadw berwr y dŵr a'i ben i lawr mewn dŵr – mae'n cadw'n well.

Burum

Fyddaf i ddim yn cael cystal hwyl ar ddefnyddio burum sych i wneud bara ac felly byddaf yn prynu burum ffres bob amser. Nid yw'r math sych i'w weld yn 'gweithio' cystal â'r un ffres nac yn rhoi yr un blas i'r dorth chwaith. Byddaf yn cael burum ffres yn adran becws fy archfarchnad leol – ond mae'n rhaid gofyn. Yn aml, byddaf yn prynu mwy nag yr wyf ei angen ac yn ei rannu a'i gadw mewn ffoil neu fag plastig fesul owns. Mae'n cadw yn yr oergell fel hyn am wythnos neu fwy. Mae ambell lyfr coginio yn dweud y medrir ei gadw yn y rhewgell ond chefais i erioed lwyddiant ar ei ddefnyddio ar ôl ei rewi. Ar ôl ei ddadmer mae'n troi'n hylif, sy'n awgrymu i mi bod llawer o'r celloedd yn cael eu lladd gan y rhewi.

Cacennau sinsir

Mae gwahanol ardaloedd yn defnyddio gwahanol ddulliau i wneud cacen sinsir. Mae risetiau cacennau Ashbourne a Grantham yn defnyddio'r dull hufennu o baratoi'r gymysgfa. Mae risetiau Nottingham a Grasmere yn defnyddio'r dull toddi a ddisgrifiaf ar dud. 225. Yn Grasmere ceir y dull o rwbio braster i mewn hefyd. I gymhlethu pethau, yn y rhan fwyaf o ardaloedd Lloegr, yr enw *ginger bread* a roddir i'r gacen pa ddull bynnag a ddefnyddir i'w pharatoi. Er hynny, yng Nghernyw fe ddefnyddir *ginger cake* a *ginger bread* i wahaniaethu rhwng y dulliau o'u paratoi. Gwneir *ginger cake* drwy hufennu lard a siwgr ac ychwanegu llefrith wedi suro at y carboned soda ond gwneir *ginger bread* drwy rwbio'r braster i mewn! Syml?!

Caserol – ei gadw'n gynnes

Cyn tywallt cynnwys padell i ddysgl gaserol ar gyfer ei roi yn y popty, cynheswch y ddysgl yn barod fel nad yw'r bwyd yn oeri ac felly'n cymryd yn hwy i ddechrau coginio. Hefyd byddaf yn rhoi tun pobi yn y popty'n barod i roi'r ddysgl arno oherwydd:

- mae gwres y tun yn peri i'r caserol ddod i'r berw'n gynt
- mae'n fwy diogel ac yn haws gafael mewn tun nag mewn dysgl boeth
- petai'r ddysgl yn digwydd torri yn y gwres neu ferwi drosodd yn y popty, byddai'r llanast yn llai!

Cejeri

Daeth cejeri i'r wlad yma yn y ddeunawfed ganrif gan bobl o ddwyrain yr India. Mae cejeri India yn cynnwys reis, ffacbys, nionod, wyau wedi eu berwi ac yn y blaen ond yn Ewrop erbyn heddiw pysgod, reis a wyau wedi eu berwi yw'r prif gynhwysion. Roedd hwn yn frecwast digon cyffredin yn Oes Fictoria pan oedd gwledd o frecwast wedi ei gosod ar y dresar. Heddiw, ei fwyta i ginio neu swper a wnawn.

Chowder

Stiw neu gawl yn llawn pysgod yw *chowder*. Daeth yma o New England ac, ers talwm, y *clam* Americanaidd a ddefnyddid. Yn y wlad yma cregyn bylchog a ddefnyddir fel arfer yn ogystal â physgod o bob math. Mae'r gair *chowder* yn dod o'r gair Ffrengig *chaudière,* sef y crochan haearn a ddefnyddid i wneud y math yma o gawl, o bosib, yn wreiddiol yn Ffrainc.

Ciwbio a deisio

Mae'r ddau air yn golygu mwy neu lai yr un peth sef torri bwyd yn giwbiau. Tueddaf fi i ddefnyddio deisio i ddisgrifio creu darnau llai nag wrth giwbio!

Ciwcymbr mewn halen

Mewn ambell risêt lle defnyddir ciwcymbr i addurno, gall yr addurn ddioddef oherwydd bod dŵr yn diferu o'r sleisiau. Mae halen yn tynnu dŵr allan o sleisiau ciwcymbr – dyna un o'i briodweddau. Ar ôl taenu halen dros y sleisiau, rhowch hwy o'r neilltu am tua hanner awr cyn golchi'r halen i ffwrdd a'u sychu ar bapur cegin.

Ciwi

Mae'r enw ciwi yn gysylltiedig â Seland Newydd ac felly hefyd y ffrwyth. Gwsberins Tsieineaidd oedd yr enw gwreiddiol arnynt gan mai tarddu o ddyffryn Yangtzee y maent. Ar goeden debyg iawn i winwydden y maent yn tyfu a chludwyd yr hadau drosodd i Seland Newydd yn 1906. Cafwyd y ffrwyth cyntaf yno yn 1910 a chychwynnwyd eu tyfu'n fasnachol tua 1940. Erbyn heddiw maent hefyd yn cael eu tyfu dros ardaloedd helaeth yn yr Unol Daleithiau lle cychwynnwyd gyda 50 acer ohonynt yng Nghaliffornia yn 1970. Ond Seland Newydd roddodd yr enw ciwi i'r ffrwyth gan ei fod yn atgoffa'r un a fathodd yr enw o siâp ŵy'r aderyn ciwi. *Kiwifruit* yw'r enw a ddefnyddir yn rhyngwladol arno ers 1974. Dim ond mewn gwledydd cynnes y gellir ei dyfu er bod mathau newydd wedi eu datblygu sy'n medru goddef oerfel i ryw raddau. Mae rhew yn elyn mawr i'r tyfwr ffrwyth ciwi!

Mae'r ffrwyth ei hun yn felys iawn pan fo'n aeddfed ond mae'n llawn asid. Am y rheswm hwnnw ni ddylid ei ddefnyddio mewn jeli gan fod yr asid yn nadu i'r jeli setio. Mae pîn-afal a ffigys yn cael yr un effaith ar jeli oherwydd eu bod yn cynnwys yr ensym proteas.

Corbwmpenni

Maent ar eu gorau pan fyddant yn fach, rhwng 4 a 5 modfedd o hyd. Yn aml, ni fydd y blodau wedi disgyn oddi arnynt pan fyddant yr hyd yma.

Crème fraîche **a hufen wedi ei suro**

Mae hufen wedi ei suro yn cyfateb i *soured cream* yn Saesneg. Mae hwn yn wahanol i *sour cream* – hufen wedi suro'n naturiol yw hwnnw gyda blas drwg iddo. Cynhyrchir hufen wedi ei suro a *crème fraîche* bron yn yr un modd ac mae eu blas yn debyg i'w gilydd. Yr unig wahaniaeth mawr rhyngddynt yw bod hufen wedi ei suro'n cael ei wneud o hufen sengl a'r *crème fraîche* o hufen dwbl. Yn fasnachol, troir yr hufen yn hufen wedi ei suro trwy ei homogeneiddio ac ychwanegu bacteria arbennig sy'n creu asid i roi'r surni iddo. Wedi dweud hynny, hufen dwbl fyddaf i'n ei ddefnyddio os bydd raid i mi wneud hufen wedi ei suro, a byddaf yn ei suro drwy ychwanegu llond llwy de o sudd lemwn i tua 5 owns hylifol o hufen.

Crwst fflan

Defnyddiwch dun fflan metal yn hytrach nag un gwydr neu botyn oherwydd bod tun metal yn trosglwyddo gwres y popty yn well na'r lleill. Dyma fanylion y dull o'i wneud:

(i)   Wedi rholio'r toes crwst fflan a'i osod yn y tun, a'i bwyso i'w le efo'ch bysedd yn erbyn gwaelod ac ochrau'r tun, rholiwch rolbren ar hyd top y tun i dorri'r toes sbâr i ffwrdd.

(ii)   Pwyswch y toes eto i'w le rownd yr ochrau a'r top.

(iii)   Pigwch waelod y toes â fforc i wneud tyllau fel nad yw stêm/aer yn hel o dan y toes ac yn ei godi yn y popty.

(iv)   Rhowch yn yr oergell am 10 munud i oeri.

(v)   Torrwch bapur menyn yn weddol grwn ac ychydig yn fwy na maint y tun. Crychwch yn belen ac yna ei agor allan a'i osod i orwedd ar waelod ac i fyny ochrau'r toes yn y tun.

(vi)   Tywalltwch bys ceramig iddo wedyn i bwyso ar y toes fel nad yw'n colli ei siâp yn y popty (gw. *Pys ceramig* isod).

(vii) Rhowch y tun fflan ar y tun pobi sydd yn y popty ar y gwres a nodir yn y risêt, a phobwch am 15 munud. Yna tynnwch y tun allan o'r popty, yn dal ar y tun pobi, a thynnu'r papur menyn a'r pys ceramig ohono.

(viii) Brwsiwch holl du mewn y fflan, sydd rŵan wedi hanner ei phobi, efo ychydig o ŵy wedi ei guro.

(ix)   Rhowch yn ôl yn y popty am 5 munud i setio'r ŵy. Mae'r hanner pobi, a selio'r tu mewn efo ŵy, yn gwarchod rhag i'r llenwad dreiddio i'r crwst a'i wneud yn soeglyd.

(x)   Rhowch o'r neilltu nes y byddwch yn barod i roi'r llenwad ynddo.

Cwstard – nadu iddo groenio

Daliwch i gymysgu'r cwstard nes y bydd wedi oeri. Neu, gwlychwch bapur menyn o dan y tap dŵr oer, ei wasgu'n dynn i gael gwared â'r dŵr ac yna gosodwch y papur llaith ar wyneb y cwstard fel nad oes dim ohono yn y golwg.

Cwstard wedi setio

I wneud yn siŵr bod y cwstard mewn fflan neu bwdin wedi setio, gwthiwch gyllell i lawr i'r pwdin/fflan a'i thynnu ychydig tuag atoch gan greu hollt bychan yn y pwdin. Os gwelwch fod y cwstard yn llifo i'r hollt, rhowch ef yn ôl yn y popty am 5–10 munud arall. Hefyd, dylai'r gyllell ddod allan yn lân os yw'r cwstard wedi setio.

Dysglau'n prinhau

Os, fel fi, y byddwch yn coginio pethau fesul tri neu bedwar a'u rhewi, daw amser pan nad oes dysgl ar ôl yn y cwpwrdd. Er mwyn cael eich dysglau yn ôl yn fuan, gwnewch hyn. Gyda chacen gaws, er enghraifft, leiniwch y ddysgl gyda darn o ffoil fydd yn ddigon mawr i lapio drosti. Ar ôl ei rhewi, tynnwch hi allan o'r ddysgl neu'r tun gerfydd y ffoil a'i blygu drosti i'w selio cyn ei rhoi'n ôl yn y rhewgell – wedi ei labelu wrth gwrs!

Eisin *glacé*

Cymerwch 3 owns (75g) o siwgr eisin wedi ei ogru a llond llwy fwrdd lawn (15ml) o ddŵr oer. Mewn powlen fechan cymysgwch y siwgr eisin a'r dŵr efo llwy bren nes y bydd yn berffaith lyfn ond nid yn rhy ddyfrllyd. Dylai'r eisin lifo'n araf oddi ar y llwy gan adael ei ôl yn y bowlen. Ymhen ychydig dylai hwnnw ddiflannu. Os yw'n rhy stiff, ychwanegwch ragor o ddŵr fesul diferyn, neu ragor o siwgr eisin os yw'n rhy ddyfrllyd.

Fines herbes

Cymysgedd o berlysiau sy'n cynnwys persli, cennin syfi a gorthyfail.

Ffrio cig i'w frownio

Mae'n bwysig ffrio'r cig fesul tipyn bach ar y tro, h.y., peidiwch â gorlenwi gwaelod y badell. Ffrio'r cig yw'r bwriad – ei frownio – ac felly mae'n magu blas. Trwy orlenwi'r badell, mae'r cig yn creu stêm ac yn hytrach na ffrio mae'n stiwio neu ferwi.

Ffrwyth neu beidio?

Beth amser yn ôl, nododd y Gymuned Ewropeaidd yn un o'i datganiadau gwirion mai ffrwyth yw moron. Wel, rwtsh noeth ydi hyn wrth gwrs, a gobeithio bod y cofnod wedi ei gywiro erbyn heddiw. Mae diffiniad clir i ffrwyth, sef y peth sy'n datblygu o'r blodyn, e.e., afal, tomato, gellygen neu fwyar duon. O wreiddyn, dail neu stem planhigyn y mae llysiau fel moron, tatws, bresych, letys, maip a betys yn dod. Ond ffrwyth ydi'r gorbwmpen a ffrwyth ydi ciwcymbr a chodau pys a ffa a bod yn hollol gywir!

Gogru blawd

Yn aml mae risetiau yn galw am flawd wedi ei ogru. Pam, meddech? Wel, mae dau reswm. Y cyntaf yw bod y gogru yn cael gwared â lympiau. Yr ail, a'r pwysicaf, yw bod gogru yn ysgafnhau'r blawd trwy gael mwy o aer yn gymysg â'r gronynnau. Gwnewch hyn drwy ddal y gogr yn uchel uwchben y bowlen gan daro'i ymyl yn ysgafn gyda chledr eich llaw nes y bydd y cwbl wedi mynd drwodd. A oes angen i mi sôn am beth mor syml? Fe synnech!

Gwin – defnyddio gweddillion

Pan fydd gwin ar ôl yng ngwaelod y botel, byddaf fel rheol yn ei rewi a'i gadw yn y rhewgell – mewn potel

blastig wrth gwrs. Mae'n gwneud i'r dim i goginio, yn hytrach na gorfod agor potel newydd yn arbennig ar gyfer cael ychydig o win ar gyfer rhyw risêt neu'i gilydd.

Leinio tun cacen

Cymerwch drafferth gyda'r gwaith o leinio tun cacen bob amser. Mae siâp y gacen ar ôl iddi grasu'n dibynnu ar y drafferth a'r gofal a gymerwyd wrth baratoi'r tun. Mae leinio tun cacen gyda phapur menyn yn gwarchod y gacen neu'r dorth rhag brownio a chrimpio gormod ac mae'n llawer haws ei thynnu allan o'r tun. Os byddwch yn pendroni pam fy mod yn argymell iro'r tun cyn ei leinio â phapur menyn, y rheswm yw ei bod yn haws gwneud gwaith taclus gan fod iro yn help i ddal y papur yn ei le.

Llaeth cyddwys ac anwedd

Ar raglen Hywel, cododd un gwrandäwr broblem sydd gan lawer sef gwahaniaethu rhwng *evaporated* a *condensed milk* yn y Gymraeg. Dyma ran o'r sgwrs a gawsom yr wythnos ganlynol:

"Cyn penderfynu ar yr enw Cymraeg, Hywel, mi ddylwn edrych yn agosach ar y ddau fath o laeth – *evaporated* a *condensed*. Wel, mae'r ddau wedi'u hanweddu – hynny ydi, y dŵr wedi ei anweddu ohonyn nhw. Y gwahaniaeth rhyngddyn nhw ydi fod siwgr yn gwneud un ohonyn nhw'n dew a melys a'i fod wedi ei ferwi ymhellach. Felly, be galwn ni nhw?

Mi fuasai Mr Picton yn eu galw nhw'n llaeth wedi ei gonsentreiddio a llaeth wedi ei gonsentreiddio melys! Ond mi fyddai Wali'n deud fod llyfr Merched y Wawr ei fam yn galw *evaporated* yn llaeth tun."

Ond Wali, mae llaeth cyddwys heddiw yn dŵad mewn tiwb!

Ond, a bod o ddifrif, ers y cyfnod hwnnw rhaid cyfaddef fy mod wedi dod yn fwy cyfarwydd â defnyddio anwedd a chyddwys i ddisgrifio'r ddau laeth a dyna sydd yn y risetiau yma i gyd. Hefyd, anghofiais nodi, yng ngwres y stiwdio, fod llaeth anwedd wedi mynd trwy broses o homogeneiddio hefyd!

Margarîn neu fenyn?

Rydw i wedi sylwi dros y blynyddoedd fod ansawdd margarîn yn newid ac o ganlyniad nid yw pob cacen neu bwdin cystal â chynt. Tueddaf fwyfwy i ddefnyddio menyn yn lle margarîn ac mewn llawer i risêt nid wyf yn rhoi'r dewis i ddefnyddio margarîn. Os na chewch lwyddiant yn defnyddio margarîn, newidiwch i fenyn.

Menyn – arbed iddo losgi wrth ffrio

Pan fyddwch yn ffrio cig, er enghraifft, efo tipyn o fenyn neu fargarîn, ychwanegwch ychydig o olew olewydd ato. Mae'r menyn yn llai tebygol o losgi wedyn.

Menyn clir

Mae'r broses o wneud menyn clir yn tynnu'r elfennau soled allan. Yr elfennau hyn sy'n debygol o losgi wrth ffrio gyda menyn ar dymheredd uchel. I wneud menyn clir, toddwch y menyn mewn sosban fechan a thywalltwch yr hylif melyn i lestr arall i'w ddefnyddio, a thaflu'r soledau gwyn sydd ar ôl ar waelod y sosban. Mae menyn clir yn cael ei ddefnyddio i selio *pâté* hefyd.

Nionod bach

Yn Saesneg, ceir termau sy'n gwahaniaethu'n glir rhwng y gwahanol fathau o nionod. Mae llawer o enwau yn y Gymraeg hefyd ond y drafferth yma yw bod gwahaniaethau rhanbarthol yn cymhlethu pethau! Cymerwch yr enw 'nionod bach' er enghraifft. Gall y term olygu tri pheth – *spring onions*, sef nionod neu sibols bach gwyrdd a fwyteir yn ifanc ac anaeddfed; *shallots* (slots) gwyrdd, ifanc (sef bylbiau *shallots* gyda thyfiant glas); neu nionod piclo bychain. Yn y llyfr hwn, beth rwy'n ei olygu pan ddefnyddiaf 'nionod bach' yw nionod piclo bychain neu fylbiau *shallots* wedi aeddfedu a sychu. Gweler hefyd *Slots*.

Paflofa

Wn i ddim pa un yw'r enwocaf, y pwdin neu'r falerina, Anna Pavlova o Rwsia. Yn wir, mae'r ddau yn gysylltiedig ond nid o Rwsia y daw'r pwdin. Dywed brodorion Seland Newydd mai oddi yno y daw'r risêt i wneud paflofa go iawn ac mai ffrwyth ciwi ddylai ei haddurno. Ar y llaw arall, cawn yr Awstraliaid yn mynnu mai nhw greodd y risêt ac mai'r granadila (*passion fruit*) ddylai ei haddurno.

Yn ôl sawl ffynhonnell, cafodd y risêt ei chyflwyno am y tro cyntaf yn Perth, Awstralia yn ystod ymweliad Anna Pavlova ag Awstralia a Seland Newydd yn y 1920au gan gogydd o'r enw Bert Sache pan ofynnwyd iddo greu pwdin arbennig iawn. *Meringue* mawr oedd y pwdin gyda'r tu mewn yn feddal a'r tu allan yn grimp. Addurnwyd y pwdin â *passion fruit* a phan flaswyd y pwdin am y tro cyntaf dywedwyd ei fod mor ysgafn â Pavlova – y falerina – ac fe lynodd yr enw. Cydnabyddir er hynny bod risetiau am gacennau neu bwdinau o'r fath i'w cael mewn cylchgronau cynnar yn Seland Newydd hefyd ac efallai fod Bert Sache wedi astudio'r rhain.

Piclo a halltu

Mae pawb, bron, erbyn heddiw yn prynu finegr piclo parod. Ond os hoffech ei baratoi eich hun, cymerwch ddau beint (1.14 litr) o finegr brag ac ychwanegu

chwarter owns (7g) o fês, chwarter owns o sinamon (ffon), chwarter owns o bupur *allspice*, chwarter owns o rawn pupur du, chwarter owns o hadau mwstard, 4 clôf, un *chilli* a hanner owns o fôn sinsir. Rhowch bopeth mewn sosban anlynol, rhoi caead yn dynn arni a phoethi'r cyfan yn araf nes y bydd ar fin dod i'r berw. Tynnwch oddi ar y gwres a'i adael am 3 awr cyn ei hidlo drwy gwdyn hidlo mwslin. Osgowch ddeunyddiau metal.

Pan fyddwch yn gwneud nionod picl mae'n rhaid halltu cyn piclo er mwyn tynnu dŵr allan o'r nionod. Os na sychir y nionod fel hyn, bydd sudd y nionod yn gwanhau'r finegr fel na fydd y picl yn cadw cystal.

Dylai finegr piclo fod yn weddol gryf ac yn cynnwys dim llai na 5% o asid asetig. Finegr brown brag yw'r gorau ei flas a dylid ei ddefnyddio bob amser ar gyfer picl a blas cryf arno. Gellir defnyddio finegr gwyn ar gyfer bwydydd efo blas gwannach.

Plicio tomatos

Gwaith, ar yr olwg gyntaf, sy'n anos na chneifio chwannen. Ond mae dull hawdd iawn i wneud hyn. Y cwbl sydd ei angen yw llond powlen o ddŵr berwedig. Trochwch y tomatos yn y dŵr hwn am hanner munud ar y mwyaf. Wedi eu tynnu allan gellir tynnu'r croen yn ddidrafferth a bydd, yn fwy aml na pheidio, wedi dechrau codi ohono'i hun. Os am rewi tomatos mewn cyfnod o ormodedd yn y tŷ gwydr, tynnwch y croen fel hyn cyn eu gosod ar blât a'u rhoi yn y rhewgell. Wedi iddynt rewi yn beli caled, cadwch nhw mewn bocs plastig yn y rhewgell. Wrth eu dadmer daw cymaint o ddŵr allan ohonynt nes collant eu siâp. Defnyddiwch felly mewn cyrri neu stiw neu unrhyw bryd y byddech yn defnyddio tomatos tun ar ei gyfer.

Plygu neu gymysgu?

Mae ystyr cymysgu'n weddol eglur, sef sicrhau, gan ddefnyddio llwy, fforc, cyllell neu declyn trydan, bod y cynhwysion i gyd wedi eu dosbarthu'n wastad drwy'r gymysgfa i gyd.

Mae plygu rhywbeth i mewn dipyn yn wahanol ac fe ddefnyddir y dull i ychwanegu at gymysgfa sydd yn ysgafn iawn ac yn llawn aer. Mae plygu i mewn yn symudiad tebyg iawn i aradr yn torri a throi cwysi drosodd. Ym myd coginio, yr aradr yw'r llwy. Dylid gwthio'r llwy i mewn i'r gymysgfa yn ofalus a throi cynnwys y llwy drosodd, yn raddol a gofalus eto, rhag difetha strwythur y gacen neu'r pwdin. Gwneir hyn drosodd a throsodd nes teimlwch fod yr hyn yr ydych yn ei blygu i mewn wedi ei ddosbarthu'n weddol drylwyr. Pwrpas plygu yw cadw'r celloedd aer yn y gymysgfa er mwyn cynnal yr ysgafnder.

Popty *micro*

Mae technoleg fodern wedi treiddio i'r gegin mewn sawl modd. Un o'r pethau sy'n ddefnyddiol i mi ond nid yn angenrheidiol o bell ffordd yw'r 'popty microdon' fel y'i gelwir. Fyddaf i'n coginio nemor ddim ynddo oherwydd fy mod yn colli'r hwyl a'r broses o wylio a blasu'r bwyd tra bo'n coginio. Mae'r broses arferol o goginio yn rhoi'r cyfle i'r cogydd fod yn greadigol, i newid ac i addasu fel y bo'r galw. Mae hi bron yn amhosib gwneud hynny yn y popty gwyllt. Ie, 'popty gwyllt' yw'r enw arno yn ein tŷ ni (bathiad fy chwaer) a dyna a ddefnyddiaf drwodd a thraw yma. Yn ystod sgyrsiau gyda Hywel, byddem yn derbyn cryn dipyn o sylwadau difyr gan wrandawyr ac roedd un ohonynt yn cynnig 'popty ping' fel enw addas iawn ar gyfer y teclyn hwn. Onid yw'r ddau yn rhagori ar 'microdon'?

Potiau jam

Mae angen sicrhau bod potyn jam yn berffaith lân cyn rhoi jam neu gatwad ynddo. Mae bod yn berffaith lân yn golygu nad oes unrhyw hedyn llwydni ar ôl ynddo ac felly mae angen ei ddiheintio'n drylwyr. Ar ôl ei olchi a'i sychu yn y dull arferol, rhowch y pot a'i gaead yn y popty ar dun pobi ar wres o tua 100°C (Nwy ¼) am tua chwarter awr. Ar ôl eu tynnu o'r popty, peidiwch â rhoi'ch bysedd y tu mewn i'r caead na'r potyn rhag eu heintio. Llenwch y potiau gyda jam neu gatwad y munud y dônt allan o'r popty – pan fyddwch yn gafael ynddynt, cofiwch eu bod yn chwilboeth! Nid oes angen poethi'r potiau fel hyn ar gyfer nionod picl.

Pan fyddwch yn rhoi papur cwyr ar wyneb y jam neu'r catwad, rhowch yr ochr a'r cwyr arni ar i lawr ar y jam a sicrhewch nad oes swigod o aer oddi tano.

Peidiwch â defnyddio caeadau metal pan fyddwch yn defnyddio finegr oherwydd gall y ddau adweithio. Ond prin iawn yw caeadau fel hyn y dyddiau hyn gan eu bod wedi eu gorchuddio eisoes efo haenen arbennig oddi mewn fel nad oes metal yn y golwg.

Prawf sgiwer

I sicrhau bod cacen ffrwythau yn barod i'w thynnu o'r popty, profwch gyda sgiwer. Gwthiwch y sgiwer i'w chanol ac os daw allan yn lân a heb fod yn ludiog, mae'r gacen yn barod. Fe sylwch hefyd, os yw'n barod, y bydd ymylon y gacen wedi dechrau gadael ymylon y tun.

Pwyso triog

Gall pwyso triog, neu unrhyw ddeunydd gludiog, fod yn broses mor chwithig â chodi dŵr efo gogor! Y dull mwyaf hylaw yw cymryd y sosban (neu'r bowlen) fydd yn dal y cynhwysion, a llwy, a'u rhoi ar y glorian. Nodwch y pwysau. Gan ganiatáu am bwysau'r sosban a'r llwy, ychwanegwch y triog nes cyrraedd y pwysau sydd ei angen arnoch. Neu, os yw'r math o glorian yn caniatáu, dewch â hi yn ôl i sero ar ôl rhoi'r sosban a'r llwy arni ac ychwanegwch y triog nes cyrraedd y pwysau gofynnol.

Pys ceramig

Darnau bach crwn o botyn ceramig ydi'r rhain sy'n debyg iawn i bys. Ar gyfer pobi crystyn fflan am 15 munud cyn rhoi'r cynnwys ynddo, rhoir papur menyn, wedi ei lapio'n belen ac yna ei agor allan, i orwedd ar y toes yn y tun fflan. Tywalltir y pys ceramig iddo wedyn i bwyso ar y toes fel nad yw'n colli ei siâp. Gwerthir o dan yr enw *ceramic beans* neu *ceramic pie weights*.

Reis

Mae llawer math o reis i'w weld ar silffoedd ein siopau heddiw. Un ohonynt yw reis gwyllt (*Zizania aquatica*). Er ein bod yn ei alw'n reis, nid yw'n blanhigyn reis mewn gwirionedd. Math o wair tal sy'n tyfu mewn dŵr ydi o. Mae'r hadau'n ddu-frown, yn hir a rhyw awgrym o flas cnau arnynt. Yn anffodus mae'n weddol ddrud i'w brynu o'i gymharu â'r reis cyffredin. Ond does dim o'i le mewn cymysgu reis gwyllt gyda reis grawn hir, er enghraifft, er mwyn lleihau'r gost. Yn wir, mae hyn yn rhoi mwy o liw i'r pryd, ond cofiwch y bydd reis gwyllt yn cymryd mwy o amser i'w ferwi.

Mae dau fath o reis cyffredin (*Oryza sativa*) sef reis grawn byr i wneud pwdin a reis grawn hir (Patna). Daw'r ail yn wreiddiol o ogledd-ddwyrain India ond heddiw mae'n ein cyrraedd ni o America gan amlaf. Ond mae'r mathau o reis grawn hir hefyd yn cynnwys reis basmati sydd yn reis hynod o flasus ac yn dod o'r India o hyd. Y math grawn hir a ddefnyddir ar gyfer ei fwyta gyda chyrri a phrydau Dwyreiniol eraill. Rydym wedi hen arfer prynu'r math gwyn o hwn. Ond gellir prynu'r math brown, reis a gafodd ei drin i dynnu'r plisgyn caled, allanol i ffwrdd gan adael gorchudd brown, mewnol ar ôl. Mae hwn yn llawer gwell er ein lles na reis gwyn gan ei fod yn cynnwys mwy o ffibr, fitaminau a mwynau.

Mae rhai ohonom yn golchi reis cyn ei ferwi, i'w lanhau. Hefyd, mae golchi yn help i gael gwared â startsh arwynebol sydd yn dueddol i lynu'r gronynnau yn ei gilydd.

Roux (a saws gwyn)

Saws gwyn yw sylfaen llawer iawn o sawsiau ond ein bod yn ychwanegu pethau gwahanol ato fel bo'r galw. Mae dau ddull o baratoi saws gwyn, sef y dull *roux* a'r dull un cam. Gyda'r dull un cam fe roddir pob un o'r cynhwysion gyda'i gilydd mewn sosban i'w cymysgu a'u coginio ond gyda'r dull *roux*, fy newis i, mae'r blas yn llawer iawn gwell. Ond mae'n fwy trafferthus gan fod y blawd a'r menyn yn cael eu coginio am rai munudau cyn ychwanegu'r llefrith ac o ganlyniad nid oes unrhyw berygl y cewch flas blawd ar y saws. Dyma'r dull:

Toddwch y menyn neu'r margarîn (owns, 28g) mewn sosban fach. Tynnwch oddi ar y gwres ac ychwanegwch flawd plaen (owns, 28g). Trowch a chymysgwch yn dda â llwy bren. Coginiwch y *roux* ar wres isel am 2–3 munud gan droi'r gymysgfa drwy'r amser efo llwy bren. Dyma'r *roux* yn barod.

Tynnwch oddi ar y gwres eto, a chan droi y *roux* yn araf ychwanegwch y llefrith (peint, 570ml), ychydig ar y tro. Dewch â'r saws i'r berw gan ofalu ei droi drwy gydol yr amser. Trowch y gwres i lawr ond parhewch i goginio ac i droi'r saws am tua 3 munud. Dyma'r saws gwyn.

Saws tenau yw hwn sy'n addas ar gyfer pwdin, er enghraifft, ond mae'n rhaid ychwanegu siwgr. Ond ychwanegir persli neu gaws, o bosib, i wneud saws sawrus. I wneud saws tew i'w ddefnyddio fel blanced dros bethau eraill, fel saws caws dros flodfresych, defnyddiwch hanner y llefrith a ddefnyddiwyd uchod.

Rhewi cacen

Mae cacen wedi ei rhewi yn sychu'n raddol, er yn llawer arafach na phan fydd ar blât yn y gegin. Felly, os byddwch am ei chadw yn y rhewgell am amser go hir, lapiwch hi mewn ffoil neu fag plastig neu rhowch hi mewn bocs.

Rhoi toes i oeri

Ydi, mae hyn yn boen! Ond er mwyn sicrhau bod toes yn rholio allan yn hwylus ac nad yw'n crebachu tra bydd yn coginio mae'n werth ei roi mewn bag plastig a'i adael yn yr oergell am tua hanner awr cyn ei rolio allan.

Sgons

Y gŵyn fwyaf a gaf gan eraill yw nad yw risetiau sgons yn rhoi canlyniadau da iawn. Gallaf gydymdeimlo â hyn gan fod yn rhaid bod yn ofalus a dilyn nid yn unig gyfarwyddiadau'r risêt ond y canllawiau cyffredinol ar gyfer gwneud sgons hefyd. Yn rhy aml, nid yw'r rhain yn cael eu cynnwys yn y risêt ac yn aml mae camgymeriadau hefyd. Er enghraifft, mae un awdur pur enwog yn argymell defnyddio blawd codi. Ni ddylech ar unrhyw gyfrif ddefnyddio hwn – defnyddiwch flawd plaen gyda charboned soda a hufen

tartar bob amser oherwydd mae angen blawd cryfach nag sydd i'w gael mewn pecyn blawd codi. Mae'n wir bod blas arbennig ar sgons blawd codi ond, i mi, maent yn fwy tebyg i gacen gri.

Mae trwch y toes yn hynod o bwysig. Cadwch yn ofalus at y tri chwarter modfedd a argymhellaf yn y risetiau rhag ofn i'r sgon droi'n fisged!

Cwyn gyffredin yw bod y sgon yn syrthio drosodd a phobi'n gam yn y popty. I arbed hyn gofalwch, yn gyntaf, pan fyddwch yn torri'r toes eich bod yn pwyso'r torrwr i lawr yn gadarn drwy'r toes, h.y., peidiwch â throi a sgriwio'r torrwr wrth bwyso. Y prawf eich bod wedi gwneud hyn yn iawn yw y clywch sŵn *pffffft* wrth bwyso'r torrwr. Ni chewch y pleser hwn os sgriwiwch y torrwr i lawr drwy'r toes! Yn ail, trowch y sgons drosodd cyn eu rhoi ar y tun pobi. Hefyd, yn drydydd, arhoswch am 5 munud cyn eu rhoi yn y popty fel bod y celloedd CO_2 yn cael eu dosbarthu'n wastad drwyddynt.

Ceisiwch dorri cymaint â phosib o sgons allan o'r

rholiad cynta o does gan adael cyn lleied â phosib o does ar ôl. Ni fyddaf yn llwyddo i greu sgons hanner cystal gyda'r sbarion. Fy nhueddiad wrth wneud sgons caws yw gwneud digon o does fel bod y gweddillion yn ddigon i leinio tun fflan ar gyfer gwneud fflan sawrus, a'i chadw yn y rhewgell ar gyfer y dyfodol.

Bydd beirniad mewn sioe yn fwy aml na pheidio yn rhannu'r sgon yn ddau ddarn – top a gwaelod – nid gyda chyllell ond gyda bys a bawd. Dylai sgon dda rannu'n naturiol fel hyn.

Siocled

Gwneir siocled o ffa coco, sydd yn cynnwys y coco ei hun ynghyd â thipyn o fenyn coco. Mae'r siocled gorau yn cynnwys canran uchel o goco a llai o'r menyn. Pan fyddwch yn prynu siocled ar gyfer coginio, dewiswch yr un sydd â chanran uchel o goco ynddo – fy newis i yw un sy'n cynnwys tua 70% o goco. Po uchaf yw'r ganran, duaf yw'r siocled. Er hynny, er mwyn gorchuddio wyneb cacen â siocled, er enghraifft, mi brynaf siocled rhatach gyda llai o goco ynddo.

Slots

Pan ddefnyddiaf slots, golygaf y ffurf pan fydd y bŷlb wedi egino'n dusw o dyfiant gwyrdd yn y gwanwyn. Gwahaniaethaf rhwng y tusw gwyrdd hwn a'r egin unigol – y sibols bach – sydd ynddo drwy alw'r cyntaf yn dusw a'r llall yn sibol. Anodd, yn y siop, yw gwahaniaethu rhwng y sibol â *spring onions* ac mewn unrhyw un o'r risetiau byddai un yn gwneud yn lle'r llall. Gweler hefyd *Nionod bach*.

Sosban jam

Gwariwch ar sosban/padell drom, un ddur gwrthstaen neu un alwminiwm. Mae alwminiwm yn rhatach ond peidiwch â gadael ffrwyth ynddi ar ôl ei ferwi gan y gall adweithio efo'r alwminiwm, yn enwedig os yw braidd yn asidig. Ni ddylid defnyddio sosbenni a'u tu mewn yn gopr, efydd neu haearn chwaith.

Dylai top y sosban (neu badell) fod yn llydan er mwyn i'r catwad neu'r jam fedru berwi i lawr a thewychu'n gynt. Peidiwch â rhoi caead ar y sosban neu'r badell neu bydd yn Ddydd Sul Pys cyn y bydd y cynnwys wedi tewychu!

Sudd nionyn

Weithiau bydd angen blas nionyn mewn risêt ond heb gynnwys y nionyn ei hun. Yr ateb yw paratoi sudd nionyn eich hunan. Torrwch y nionyn yn ei hanner ar ei draws. Trowch a phwyswch yr hanner nionyn ar wasgwr sudd lemwn i gael ychydig ddiferion.

Taragon

Mae taragon o Ffrainc yn well na tharagon o Rwsia – mae gwell blas arno yn fy marn i. Mae'n dda mewn omled neu unrhyw bryd sy'n cynnwys ŵy. Mae'n dda hefyd wedi ei falu'n fân mewn salad neu wedi ei gymysgu efo menyn wedi ei doddi i'w dywallt dros basta neu lysiau.

Toddi siocled

Mae toddi siocled yn grefft y mae'r rhan fwyaf ohonom wedi ei meistroli trwy wneud camgymeriadau – ac mae'n hynod o hawdd eu gwneud. Y mae dwy reol sef peidiwch â gorgynhesu'r siocled a pheidiwch â gadael i ddiferyn o ddŵr gyffwrdd ag ef. Os aiff dŵr iddo neu os cynhesir gormod arno bydd y coco a'r menyn coco yn gwahanu gan adael cymysgfa seimllyd a lympiog yn lle'r hylif tew, llyfn yr oeddech yn gobeithio ei gael. Ni ellir gwneud dim gyda'r gymysgfa hon a rhaid yw cychwyn o'r cychwyn gyda siocled newydd. Mae gen i reol arall i ddisgyblion y grefft hon hefyd – peidiwch â brysio ac fe fyddwch yn llawer mwy tebygol o lwyddo!

I doddi'r siocled rhowch bowlen i eistedd dros sosbanaid o ddŵr sydd ddim ond prin yn ffrwtian berwi. Ni ddylai gwaelod y bowlen gyffwrdd y dŵr ar unrhyw gyfrif gan y byddech wedyn yn colli rheolaeth ar dymheredd y bowlen. Torrwch y siocled yn ddarnau cyfartal a'u rhoi yn y bowlen. Gadewch i'r siocled doddi'n araf gan dynnu'r bowlen oddi ar y sosban os bydd y siocled yn toddi'n rhy gyflym.

Ar ôl 5–10 munud dylai'r siocled fod wedi toddi'n hylif llyfn. Unwaith y bydd y siocled i gyd wedi toddi, tynnwch oddi ar y gwres. I osgoi'r perygl o gael dŵr yn y siocled mae ambell un yn defnyddio'r popty gwyllt (*microwave*) ond gofalwch beidio â'i adael yn y popty am fwy nag eiliadau ar y tro rhag iddo fynd yn rhy boeth.

Ond wedi rhoi'r rhybuddion hyn, mae eithriad lle nad yw dŵr yn amharu ar y siocled (gw. risêt *Rholyn siocled*, tud. 194). Os ychwanegir peth dŵr at y siocled cyn cychwyn ei dwymo, neu os ychwanegir siocled at hylif cynnes neu boeth, ni fydd y siocled yn difetha fel y disgrifiais uchod. Peidiwch â gofyn i mi pam!

Tuniau cacen
A fyddwch chi weithiau'n fyr o duniau, neu awydd dyblu rhyw risêt ac yn methu gwneud hynny am nad oes gennych ddigon o duniau? Yr ateb yw gwneud cas cacen allan o ffoil.

Pwyswch a siapiwch o leiaf ddau drwch o ffoil o amgylch tun cacen, twtiwch yr ymyl (y top) a thynnwch y tun allan yn ofalus. Rhowch y cas ffoil i sefyll ar dun

pobi ar gyfer ei ddefnyddio. Gellir gwneud llawer o wahanol siapiau yn y modd yma trwy fowldio ffoil o amgylch llestri a siâp diddorol iddynt.

GEIRFA

aeron y ferywen	*juniper berries*
almonau mâl	*ground almonds*
almonau tafellog	*flaked almonds*
anlynol	*non-stick*
asid ascorbig	*ascorbic acid*
bastio	*to baste*
berwr	*cress*
berwr y dŵr	*water cress*
berwr y gerddi	*garden cress*
betys coch	*beetroot*
blawd codi	*self-raising flour*
blawd cyflawn	*wholemeal flour*
blawd uwd	*porridge oats*
blodfresych	*cauliflower*
blodigion	*florets (cauliflower)*
blwch o egin berwr	*punnet of cress seedlings/ salad cress*
bôn sinsir	*root ginger*
bricyll	*apricots*
briwfwyd	*mincemeat (sweet)*
briwgig	*mince (meat)*
briwsion bara crimp	*golden breadcrumbs*
bustl	*bile*
bỳlb garlleg	*whole garlic bulb*
calon (afal)	*apple core*
candi pîl	*candied peel*
carboned soda (cabinet soda, ciabi, beicarb)	*bicarbonate of soda (bicarb)*
carwe (hadau)	*caraway seeds*
catwad	*chutney*
caws colfran	*cottage cheese*
caws hufennog	*cream(ed) cheese*
ceirios y wern, llugaeron	*cranberries*

cen	*scales (fish)*
cennin syfi	*chives*
ceugrwm	*concave*
ceuled	*curd*
ceulo	*to curdle*
cg, cilogram	*kilogram*
cig moch brith	*streaky bacon*
ciwi	*kiwi fruit*
clofs	*cloves*
cnau castan	*chestnuts*
cnau coco	*coconuts*
cnau cyll	*hazelnuts*
cnau Ffrengig	*walnuts*
coconyt hufennog	*creamed coconut*
codau oren	*orange segments*
coden	*segment or pod*
coden fustl	*gall bladder*
coden o fanila	*vanilla pod*
colslo	*coleslaw*
corbwmpen	*courgette*
corgimwch	*prawn*
cregyn bylchog	*scallops*
cropa	*crop*
crwst	*pastry*
crwst brau	*shortcrust pastry*
crwst *choux*	*choux pastry*
crwst ffilo	*filo pastry*
crwst haenog	*flaky pastry*
crwst pwff	*puff pastry*
cwmin	*cumin*
cyffug	*fudge*
cyllell balet	*pallet knife*
cyrens	*currants*
cytew	*batter*
chwythlamp	*blow torch*
deisio	*to dice*
diheintio	*to sterilise*
dincod	*pips*

dur gwrthstaen	stainless steel	mwstard bras	coarse mustard
dŵr blodau oren	essence of orange blossom	mwstard hadau cyflawn	whole grain mustard
egin berwr	cress seedlings	mwydo	to steep, to soak
egin ffa	bean sprouts	nionod bach	pickling onions or
eirin gwlanog	peaches		shallot bulbs
eirin Mair	gooseberries	nionyn (winwnsyn)	onion
esgyll	fins or wings	nionyn bychan/mawr	small/large onion
ewin garlleg	clove of garlic	nodd almon	almond essence
ffa	broad beans	nodd fanila	vanilla essence
ffacbys	lentils	oergell	refrigerator
ffenigrig	fenugreek	olew blodau'r haul	sunflower oil
finegr brag	malt vinegar	olew olewydd	olive oil
finegr sbeis brag	spiced malt vinegr	pannas	parsnips
finegr seidr	cider vinegar	papaia	papaya, pawpaw
g, gram	gram	papur cwyr	wax paper
gloywi	to strain vegetables	papur llwyd	brown paper
glwcos hylifol	liquid glucose	papur menyn	greaseproof paper
glwten	gluten	penfras	cod
gorthyfail	chervil	pennog coch	kipper
grawn pupur du	black peppercorns	perlysiau	herbs
gwsberins	gooseberries	pîn-afal	pineapple
hadog (corbenfras)	haddock	popty gwyllt, popty ping	microwave oven
hadog melyn/		powdr chilli	chilli powder
hadog wedi ei fygu	smoked haddock	powdr codi	baking powder
helogan	celery	powdr mês/mês mâl	ground mace
heulsych	sundried	powdr pum sbeis	five spice powder
hidlo	to strain	pys ceramig	ceramic beans, baking beans
hylifydd	blender	rwden, ll. rwdins	swede, swedes
india corn	sweet corn	rhewgell	freezer
lemwnwellt	lemon grass	rhuddygl poeth	horseradish
lwyn (o gig)	loin (of meat)	rhuddygl poeth	
llaeth anwedd (llaeth tun)	evaporated milk	wedi ei hufennu	creamed horseradish
llaeth cyddwys (melys)	condensed milk	rhwyll oeri	cooling tray
llawryf (deilen)	bay leaf	saets	sage
llorweddol	horizontal	sawrus	savoury
llysieuwyr	vegetarians	sbeis cymysg	mixed spice
malws melys	marsh mallow	sbwng treiffl	trifle sponges
meipen, ll. maip	turnip	selsig	sausage
menyn clir	clarified butter	sglodion chilli	chilli flakes
mês	mace	sgùm	scum (floating waste matter)
ml, mililiter	millilitre	sibol	an individual bulb and shoot
mudferwi	to simmer		from a green shallot, OR a
			spring onion

sicori	*chicory, endive*	soeglyd	*soggy*
sieff	*chef*	'styllen	*board, pastry board*
sinsir	*ginger*	surop	*syrup*
siwed	*suet*	syrth	*giblets*
siwgr bras	*granulated sugar*	teim	*thyme*
siwgr bras euraidd	*golden granulated sugar*	tonnen (y donnen)	*rind*
siwgr brown meddal	*soft brown sugar*	triog du	*treacle*
siwgr câns	*cane sugar*	triog melyn	*golden syrup*
siwgr eisin	*icing sugar*	tun pobi	*baking tray*
siwgr mân	*caster sugar*	tylino	*to knead*
siwgr mân euraidd	*golden caster sugar*	tyrmerig	*turmeric*
sleis bysgod	*fish slice*	woc	*wok*
sleisen o gig moch	*rasher of bacon*	wylys	*aubergine*
sleisio	*to slice*	ysgall y meirch	*chicory plant*
slots	*shallots (green)*		

MYNEGAI RISETIAU

Mynegai Cynhwysion

Ar ôl y cinio mawr!